Gilles de ROBIEN

JULES VERNE

Le rêveur incompris

Avec la collaboration
d'Emmanuel Haymann

Préface de
Piero Gondolo della Riva

7-13, boulevard Paul-Émile-Victor
92521 Neuilly-sur-Seine Cedex

PRÉFACE

Jules Verne est un des écrivains les plus lus dans le monde entier. Cent ans après sa mort, on ne cesse de parler de lui, en présentant surtout son prétendu côté science-fiction et en ignorant souvent la valeur littéraire de son œuvre. « C'est au charme du style que je tiens le plus, et mon regret est de n'avoir pas toujours réussi à cet égard », écrivait pourtant Jules Verne à un journaliste en 1895.

Derrière l'écrivain pour la jeunesse, l'écrivain scientifique, le créateur du roman géographique, le divulgateur, l'auteur dramatique, reste l'écrivain tout court, avec ses réussites et ses incertitudes.

Souvent, les ouvrages critiques ne donnent qu'une image partielle de ce personnage que Mallarmé a défini comme « le très curieux Jules Verne ». En revanche, le livre nouveau de Gilles de Robien comble cette lacune. Si, d'un côté, il témoigne d'un effort constant pour s'approcher le plus possible de la pensée vernienne, sans toutefois essayer une investigation psychanalytique qui risquerait de paraître gratuite, il retrace admirablement, d'un autre côté, la vie amiénoise de l'auteur à l'appui de documents inconnus ou très peu connus.

C'est un maire d'Amiens de nos jours qui nous présente le conseiller municipal de jadis, sans pour autant vouloir attribuer à Verne des opinions et des intentions politiques impossibles à retrouver chez un écrivain qui, après tout, n'aimait pas la politique.

Il s'agit d'un travail précis, mené dans les archives de la ville, qui nous restitue une autre face de ce cristal, insaisissable dans sa totalité, que l'on appelle Jules Verne.

Piero Gondolo della Riva

PROLOGUE

Amiens, vendredi 24 mars 1905.

Aujourd'hui, le progrès est orphelin. Jules Verne s'est éteint, abandonnant à l'immortalité tout un cortège de personnages familiers : le capitaine Nemo et Mathias Sandorf, Phileas Fogg et Michel Strogoff...

Comme une traînée de poudre, la nouvelle se répand à travers le monde, les colonnes grises de la presse quotidienne évoquent l'illustre auteur, alignent les témoignages, rendent hommage à la plume géniale qui, depuis plus de quarante ans, fait rêver enfants et adultes. En France bien sûr, mais aussi en Italie, en Allemagne, en Grande-Bretagne et jusqu'aux États-Unis, on célèbre le père de chefs-d'œuvre impérissables.

Quatre jours plus tard, une immense procession se forme boulevard Longueville. Sous un pâle soleil, cinq mille personnes, le préfet de la Somme, le député-maire de la ville, quelques sénateurs, une poignée de généraux, des magistrats, l'ambassadeur de l'empereur d'Allemagne et une foule d'anonymes viennent suivre le corbillard.

C'est un peu de son âme qu'Amiens pleure aujourd'hui. Le vieil homme de soixante-dix-sept ans qui vient de disparaître n'est pas seulement regardé ici comme un écrivain universellement adulé, il fait partie depuis si longtemps du paysage local... On ne verra plus sa silhouette un peu voûtée, claudicante, appuyée sur une canne, se diriger vers l'hôtel de ville pour participer aux séances du conseil municipal, on ne la verra plus trottiner chaque après-midi vers la pâtisserie de la rue des Trois-Cailloux pour boire son verre de lait quotidien.

Serrée entre les immeubles discrets, modeste dans son manteau de briques ocre, la maison du 44, boulevard Longueville se fond dans l'uniformité rectiligne de l'artère qui file le long de la voie de chemin de fer et fuit vers des lointains improbables. La porte s'ouvre, le cercueil recouvert d'un drap noir est porté par des amis, Charles Lemire de la Société de géographie, le Dr Fournier, directeur de l'Académie d'Amiens, Bousigues, président de la Société industrielle, et Jules Hetzel, l'éditeur venu de Paris.

Dans cette froide journée d'un hiver qui grignote les premiers jours de printemps, la foule se met en branle au rythme lent du convoi funèbre. La longue houle sombre se dirige vers l'église Saint-Martin. Seules taches de couleur : les uniformes bleu et rouge des soldats d'une compagnie du 72e de ligne venus, selon la coutume, rendre les hommages militaires à un officier de la Légion d'honneur.

Par petits groupes, à mi-voix pour ne pas troubler le silence recueilli, on évoque l'œuvre laissée par l'éminent Amiénois, une soixantaine d'ouvrages... On disserte sur le *Voyage au centre de la Terre,* sur *Vingt Mille Lieues sous les mers,* sur *Le Tour du monde en quatre-vingts jours...* Insensiblement, on en arrive à parler de l'homme, de son action municipale, de ses convictions idéologiques. On entend des mots contradictoires qui résonnent durement... Conservateur, anarchiste, réactionnaire, rouge, monarchiste... Les positions politiques de Jules Verne fascinent. En fait, nul ne sait où le placer sur l'échiquier des partis et des tendances qui divisent âprement la France en ce début de XXe siècle. Ses déclarations intempestives, ses relations avec le comte de Paris, prétendant au trône, ses activités municipales, les personnages libertaires de ses romans brouillent l'image et chacun trouve dans les écrits et la vie du disparu de quoi alimenter ses fantasmes.

Et puis, une absence fait jaser : le président de la République, Armand Fallières, a renoncé à envoyer un délégué aux obsèques. Certains vitupèrent, d'autres comprennent cette prudence. Nul n'ignore que, voilà une semaine seulement, le gouvernement a ouvert le débat sur la séparation de l'Église et de l'État. En ces temps de républicanisme exacerbé, la gauche au pouvoir craint de se compromettre en consacrant la gloire d'un écrivain aux opinions politiquement irrécupérables.

Un peu plus tard, dans le calme du cimetière de La Madeleine, les discours de rigueur se font consensuels. Les orateurs pérorent sur la vulgarisation géographique, la passion scientifique, la littérature et l'espéranto, langue universelle, dernière passion du défunt.

Au cours des mois suivants, le conseil municipal d'Amiens décide de donner le nom de Jules Verne au boulevard Longueville, l'Académie locale lance une souscription pour élever, en ville, un monument à la gloire de l'homme de lettres et le sculpteur Albert Roze creuse dans le marbre l'œuvre qui viendra surmonter la tombe du cimetière de La Madeleine.

En 1875, Jules Verne avait écrit *Une ville idéale,* texte court et percutant dans lequel il entrevoyait Amiens en l'an 2000. Il imaginait alors une ville agrandie, débarrassée de ses ruelles bourbeuses et munie de canalisations efficaces. Il ambitionnait des progrès durables pour le bien-être de ses concitoyens...

Mais ce qu'il n'avait pas prévu, et ce que nous connaissons, nous, ses lecteurs du XXIe siècle, ce sont les touristes nombreux qui viendraient régulièrement à Amiens mettre leurs pas dans ceux de Jules Verne. Ils passent devant le Cirque inauguré jadis par l'écrivain, ils s'arrêtent quelques instants face à la maison où il vécut ses dernières années, ils contemplent la statue élevée dans le jardin public non loin et, surtout, ils pénètrent dans la maison à la tour ronde que le romancier habita dix-huit ans durant, rue Charles-Dubois. Dans cette résidence – devenue Centre de documentation Jules Verne –, dans un cabinet de travail reconstitué pour la nostalgie, le visiteur tente d'imaginer cet homme du passé penché sur son travail et rédigeant au crayon d'une petite écriture nerveuse les folles péripéties de ses *Voyages extraordinaires.*

Car c'est là, dans le calme d'Amiens, que s'élabora une grande partie de ces aventures qui nous font arpenter le monde. C'est là, dans la quiétude de la province, que prirent forme les périples audacieux et les personnages excentriques entrés dans notre imaginaire collectif. C'est là qu'un auteur à succès décida un jour de se retirer de la vaine agitation des salons littéraires afin de poursuivre dans la sérénité l'élaboration de son œuvre.

Ce Picard de cœur et d'adoption, cet écrivain immensément célèbre venu sur les bords de la Somme chercher un port d'attache, fut pourtant un Breton de naissance, un petit garçon de Nantes qui rêva sur les quais de la Loire en voyant passer les voiliers majestueux. Un enfant dont l'imagination suivit la lente progression des navires vers cette mer si proche et toujours inaccessible...

I

NANTES L'IMAGINAIRE

Quand la brise marine se lève sur Nantes, c'est tout un vent de mystères et d'aventures qui paraît souffler sur la ville. Sur les quais de la Loire, les caisses et les ballots s'entassent, débarqués des long-courriers venus des Antilles, des Indes ou d'Afrique. L'Atlantique est à quelques lieues seulement, mais sa vue toujours se dérobe, et les trois-mâts qui glissent lentement sur les eaux du fleuve donnent vie aux rêves d'évasion et stimulent les imaginations les plus engourdies.

En ce début de XIXe siècle, les armateurs nantais commercent avec le monde entier, armant des navires pour s'en aller quérir le sucre, les épices et l'ivoire sur les terres lointaines. Le port est aussi un centre de l'abominable traite des Noirs qui déporte vers Cuba ou la Martinique des cohortes d'esclaves voués à la culture de la canne. Nantes se développe, cossue et flamboyante, fière de sa prospérité.

Ce mouvement dynamique des affaires attire Pierre Verne, un jeune avoué né à Provins, dans l'Île-de-France. À vingt-huit ans, après des études de droit et quelques années d'activité au barreau parisien, il vient prendre la succession d'un certain Me Paqueteau dont il a racheté la charge.

Le jeune homme est bien résolu à organiser promptement sa nouvelle vie : à peine arrivé, à peine installé, il fait sa cour à Sophie Allotte de la Fuye, une Bretonne de Morlaix à la chevelure rousse. Les deux familles acquiescent et voilà les jeunes gens mariés. Le couple emménage sur l'île Feydeau, au 4 de la rue Olivier-de-Clisson, dans la demeure des parents Allotte. Maison banale aux lignes droites et à la façade grise, mais environnement fastueux. Entre deux bras du fleuve, l'île aligne ses hôtels particuliers du siècle précédent. Elle forme, au cœur même de Nantes, un ensemble cossu et protégé, observant dans son tranquille isolement le brouhaha industrieux de la ville[1].

Le 8 février 1828, un an après son mariage, Sophie donne naissance à un premier garçon que l'on prénomme Jules-Gabriel. Désormais un peu à l'étroit dans l'appartement des beaux-parents, Pierre Verne installe sa petite famille quai Jean-Bart, dans l'immeuble même de son étude. En grandissant, Jules aura constamment sous les yeux les formes longues des voiliers appareillant pour les hautes mers, les focs hauts et blancs passant devant les fenêtres de sa chambre comme pour un dernier salut avant de quitter l'estuaire. Que d'heures passées à rêver devant ces navires quand la pensée s'envole et s'accroche au

1. Aujourd'hui, « l'île Feydeau » n'est plus une île. Les bras de la Loire qui l'isolaient ont été comblés par de grands travaux entre 1926 et 1938.

grand mât afin d'apercevoir les immensités bleues ouvertes sur l'inconnu !

Quand on est un fils d'avoué condamné à reprendre l'étude paternelle, il est nécessaire de laisser parfois son esprit vagabonder vers des routes inconnues où le futur se transforme et se fait tentateur. Car le juriste Pierre Verne, lui, n'est pas un contemplatif. Visage maigre, yeux froids, lèvres pincées, favoris bouclés sur les joues, il est réputé pour sa probité et son sérieux. Certes, en privé, il ne dédaigne pas les arts, apprécie la musique et compose même quelques bouts-rimés... Eh oui, ce bourgeois sévère aime à versifier, mais avec la rigueur et la précision qu'il met dans toutes ses activités. Ce ne sont là pourtant que d'aimables et dérisoires divertissements : la religion et le droit sont les seuls véritables pôles de son existence, les assises solides sur lesquelles il construit sa vie, sa famille, son prestige. Jules, son aîné, devra être l'héritier de ces ambitions, il sera le notable, bon paroissien, bon père et bon époux qui fera perdurer dans l'honneur et la respectabilité le nom estimé des Verne.

La ligne de vie du gamin semble donc tracée. Le palais de justice de Nantes l'attend. Et pourtant, les repères d'un parcours différent parsèment déjà le chemin de l'enfant. Quand on a pour voisin un entortillement de mâts, de voiles et de filins, quand on respire l'air d'un océan que l'on devine sans l'avoir jamais encore vu, on ne peut concevoir sans frémir une vie sous la robe noire de la magistrature.

À cinq ans, Jules entre dans l'institution de la veuve Sambin, école pour les enfants de la bourgeoisie nantaise. La dame enseigne aux petits confiés à ses soins le calcul, la lecture et l'orthographe, mais parfois son regard s'échappe vers l'inconnu... Elle pense à son époux, capitaine abîmé en mer peu de temps après les noces, et le mirage se fait violent. La veuve espère. Tant d'années après, elle imagine encore le retour de son navigateur. Elle croit le voir parfois débarquer à Nantes à la suite d'un impossible périple, rendu à sa bien-aimée après avoir parcouru toutes les terres et toutes les mers. Et les élèves écoutent la pauvre femme soliloquer une fois de plus sur son capitaine voguant par quelque océan chimérique... Nantes entraîne Jules Verne vers un monde fabuleux. La destinée a placé sur ses pas une succession d'appels, comme pour l'attirer vers ces fonds ignorés où vogue à jamais le capitaine disparu.

Irrémédiablement, le gamin est attiré par cet univers maritime qui lui paraît renfermer les germes de l'aventure. Il voudrait tant s'enfoncer dans ces étendues ouvertes sur un horizon infini, dans ces immensités inconnues dont les portes se trouvent au bout de l'estuaire de la Loire, à portée de main, à portée de rêve...

Avant de s'embarquer pour un voyage sans retour, avant de rompre les amarres qui le retiennent à son quai, le garçon veut tout connaître des navires qui défilent devant lui comme une parade séduisante. La vie réelle est celle qu'il découvre dans les ouvrages de Walter Scott et de Fenimore Cooper. Son véritable compagnon est Robinson Crusoé, le personnage de Daniel Defoe, son authentique famille est celle du Robinson suisse imaginé par Johann Wyss...

Parfois, il se figure que son île nantaise s'éloigne des côtes et le voilà arpentant son refuge isolé comme un héros de roman. Curieux, l'esprit en éveil, il digère le vocabulaire particulier des vieux loups de mer. Il n'ignore rien des hunes et des drisses, des cacatois et des trinquettes, des artimons et des misaines, autant de termes qui fleurent bon les embruns. Et Jules Verne voyage par les mots.

Mais cette échappée littéraire ne lui suffit pas. Ce gamin au visage lisse d'enfant sage, ce bambin aux grands yeux bleus, aux cheveux blonds rétifs et ondulés, a besoin d'éprouver le grand large, de respirer la mer, de conquérir l'horizon. Il a maintenant huit ans, l'âge où les hésitations et les doutes sont vite balayés, l'âge où réalité et fiction se mêlent. Il lui faut partir, monter sur un trois-mâts, actionner la roue du gouvernail, faire flotter les voiles... Ces manœuvres, il les a tant lues et relues dans les pages de ses livres illustrés qu'il saura bien les accomplir ! Sur le quai, il avise un navire, grand corps ensommeillé et abandonné, alangui le long de la jetée. Les bois vernis et les cuivres patinés semblent l'appeler. Il regarde autour de lui... Personne. Le matelot de garde a déserté son poste, préférant la chaleur tabagique et alcoolisée d'une taverne des environs. Jules grimpe sur le bastingage, il court le long du pont, se pénètre des odeurs épicées qui montent de la cale. Il fait grincer les poulies, pousse la porte de la cabine du capitaine, monte dans la dunette, croit y respirer des effluves de l'océan. Il pose ses mains sur la roue, il la tourne un peu et, les yeux fermés, s'imagine que le vaisseau vogue vers le bout du monde... Mais le somptueux bâtiment est toujours amarré. Par les hublots, ce n'est pas l'immensité marine que l'on aperçoit, ce sont les rangées sages des maisons de

Nantes. Ça ne fait rien, en quelques instants, et sans bouger, Jules a voyagé. Ce périple imaginaire, l'enfant le conservera toujours en son cœur comme la promesse de futurs embarquements.

En 1838, Jules a dix ans. Cette année-là, son père, dont les affaires sont florissantes, achète une maison de campagne dans le faubourg de Chantenay, fermette perdue au milieu des vignes et des champs. Si les parents goûtent le charme verdoyant de la nature, l'enfant y découvre d'autres intérêts. D'abord, il file le plus souvent possible à l'usine d'Indret, non loin, où l'État fabrique des machines à vapeur. Il se perd des heures durant dans la contemplation des cuves rondes et des roues dentelées qui se combinent et s'actionnent pour créer le mouvement. Ces mécaniques rutilantes le fascinent. Il trouve aussi à Chantenay une nouvelle occasion d'observer le mouvement des bateaux. En effet, le hameau domine la Loire et, l'œil vissé à un télescope, Jules suit avec attention les manœuvres des voiliers et des goélettes qui se frayent un chemin entre les bancs de sable du fleuve.

Sa passion de la mer, le gamin l'a inoculée à son frère Paul, son cadet de seize mois. À présent, ces deux sages petits garçons de bonne famille ne songent qu'à fuir le cadre rassurant de Nantes pour courir les océans. Demain, c'est sûr, ils iront affronter les pirates, les sauvages et les bêtes féroces... Pour préparer ce grand départ, les deux gamins dilapident leur argent de poche chez un particulier qui, au-delà de l'île Feydeau, au bout du port, loue de vieux esquifs, anciennes embarcations de pêche reconverties dans le cabotage touristique. L'aventure à un franc la journée ! On ne peut aller bien loin avec ces coquilles de noix surmontées de petites voiles, mais pour deux enfants romanesques le vent des vastes espaces souffle déjà dans les toiles gonflées. Il faut réussir la manœuvre, larguer les cordages, virer par vent devant... La mer est trop loin pour pouvoir l'atteindre, mais un jour viendra où l'on conduira la barque vers l'océan.

Quand Paul ne peut venir partager ces instants sublimes, Jules s'en va seul. Un jour, alors que le gamin vogue entre deux quais de la Loire, un craquement sinistre se fait entendre, suivi immédiatement d'un gargouillis inquiétant : le bois pourri formant le fond du canot a crevé, le bâtiment est en perdition ! L'apprenti marin se jette à l'eau et gagne à la nage un petit îlot buissonneux... Jules vit enfin l'aventure de ses héros. Il est Robinson isolé du monde, il est un rescapé oublié de la civilisation. Il lui faut tailler des branchages pour se bricoler une cahute, frotter l'un contre l'autre deux morceaux de bois sec pour allumer un feu, fabriquer une canne à pêche avec un roseau, bricoler un hameçon avec des épines, chercher des coquillages pour apaiser la faim et tenter de survivre. Tout cela semble si facile dans les romans... Heureusement, le naufragé ne restera pas longtemps sur son abri. Bientôt, à la marée basse de l'estuaire, il peut en quelques bonds dans l'eau rejoindre le quai et se précipiter à la table familiale où le repas servi par maman est moins hasardeux que la cueillette et la pêche de Robinson.

À douze ans, Jules n'a encore jamais vu la mer. Nul n'a songé à emmener le cher petit à quelques kilomètres de Nantes, vers ces perspectives sans limite où s'éloignent et disparaissent les grands voiliers. Ses parents ne font pas grand cas des aspirations de leur aîné : ces fantaisies de l'esprit enfantin se dissiperont avec l'âge. L'important ce sont les études, celles qui feront de Jules un avoué nantais bien considéré. Même l'oncle maternel, Prudent Allotte de la Fuye, ne juge pas opportun d'embarquer son neveu pour une petite virée maritime. Et pourtant l'oncle Prudent est un ancien armateur qui a parcouru les mers, qui a accosté les ports du Venezuela, connu les lames qui s'abattent sur le pont et les houles qui secouent le navire.

En cet été 1840, papa finit tout de même par accepter de laisser ses deux garçons partir pour une brève odyssée vers la mer à bord du pyroscaphe, embarcation à vapeur qui se dirige vers l'embouchure de la Loire. Un voyage initiatique où se joignent la découverte et le progrès : ces bateaux qui crachent vers le ciel un long panache de fumée blanche sillonnent depuis peu les mers et les fleuves, libérant la marine des contraintes du vent. Cet océan depuis si longtemps espéré, Jules ne l'atteint donc pas sur un trois-mâts légendaire mais à bord d'un bâtiment mû par une pompe à feu. Où ne pourrait-on pas aller avec de tels engins ? Les roues battent l'eau avec force et rapidité, le pyroscaphe se dirige gaillardement vers les hauts-fonds, dépasse Indret, Couëron, Paimbœuf et voilà bientôt Saint-Nazaire, petit bourg des rivages... Le bateau se range le long du quai, la machine crachote et se tait. Les deux gamins sautent à terre, courent sur les rochers et recueillent un peu d'eau dans le creux de leurs mains. Ils y goûtent. Jules, désappointé, la recrache en maugréant :

– Mais elle n'est pas salée !

Paul confirme :

– Pas du tout salée !

D'un coup, l'aîné voit ses rêves s'écrouler. Tout cela n'était donc que littérature ? La mer, ses profondeurs mystérieuses, ses colères et ses tempêtes n'étaient que les divagations d'écrivains imaginatifs ?

– On nous a trompés ! décrète Jules énergiquement.

En fait, à marée basse, les gamins ont trempé leurs lèvres dans l'eau de la Loire. Un peu plus tard, la mer – la vraie – recouvre les rochers de Saint-Nazaire et les deux frères découvrent avec délice les ressacs froids et salés de l'Atlantique.

Hélas, il faut rentrer. Le pyroscaphe regagne son port d'attache. Cette aventure de quelques heures aux portes de Nantes restera unique, exceptionnelle. Déjà bien beau que papa ait permis cette escapade ! Le quotidien des enfants, c'est l'école. Soucieux de leur voir dispenser une rigoureuse éducation religieuse, l'austère Pierre Verne a placé ses deux garçons à Saint-Stanislas, une institution catholique. Dans une France secouée par l'anticléricalisme, l'avoué nantais ne désarme pas et tient haut les valeurs de la tradition chrétienne.

Au cours des années, la famille s'est agrandie. Trois filles sont nées, Anna, Mathilde puis Marie, et il a fallu déménager à nouveau pour s'installer dans un appartement plus vaste, au 6 de la rue Jean-Jacques-Rousseau, étroite ruelle située non loin des quais et à quelques pas du palais de justice où se déroulent les affaires du père. Juste en face habite un certain vicomte de Cambronne, vieil original sec et taciturne de soixante-dix ans, général à la retraite, héros des campagnes napoléoniennes. Et les enfants pouffent en le voyant passer drapé dans son orgueil et sa nostalgie... Les plus futés murmurent qu'à Waterloo le bonhomme a su d'un mot, d'un seul, répondre aux Anglais qui lui demandaient de se rendre... Et quel mot !

Après l'institution Saint-Stanislas, les fils Verne sont placés au pensionnat du collège Royal. Si Paul se montre studieux, Jules en revanche suit une scolarité moyenne et semble s'ennuyer en classe, son regard candide s'échappe souvent comme s'il poursuivait un mirage connu de lui seul. Un peu par hasard, servi par sa bonne mémoire, il remporte quelques accessits en géographie, en version latine et en rhétorique. Petites consolations pour ce dilettante qui suit sans passion les cours de ses professeurs et ne parvient à maîtriser ni la grammaire ni l'orthographe.

Dictées et lettres sont ponctuées de fautes qui mettent en colère le père mais n'empêchent nullement le fils d'obtenir son baccalauréat à l'été 1846. Son diplôme en poche, il se prépare aux examens de l'école de Droit de Paris. Inutile, pour l'heure, de monter à la capitale, c'est à Nantes qu'il s'initie aux arcanes de la Justice, bûchant avec l'aide de son père dans les manuels, les codes et les jurisprudences.

La rigueur juridique le séduit peu. Tristement, il ingurgite lois et décrets, une sinistre occupation pour un garçon de dix-sept ans. Ses espoirs intimes et ses exaltations secrètes, il les confie à la feuille blanche, plongé dans la composition ardente de poèmes romantiques... Car Jules se consume d'amour pour sa belle cousine Caroline Tronson, la fille de sa tante maternelle. Tant de fois, par le passé, les deux enfants ont joué tout l'été dans le jardin de Chantenay, tant de fois ils se sont promis une passion éternelle qui durait le temps des vacances.

Caroline a un an et demi de plus que son cousin et, à presque dix-neuf ans, la gamine de naguère est devenue une femme aux rondeurs épanouies. Ses yeux sombres, sa peau laiteuse, ses formes généreuses habitent les nuits de Jules. Pourquoi cette ardeur soudaine ? Les parents Tronson viennent de promettre leur fille à un négociant fortuné de quarante ans, Émile Dezaunay, et ces fiançailles mal assorties éveillent le désir de Jules. Son amour n'est plus un jeu mais un sentiment longuement mûri, il déclare sa flamme à la jeune fille, aligne des vers maladroits qu'elle écoute en souriant...

Insouciante et gaie, Caroline prête l'oreille aux poèmes fougueux de son cousin, elle le laisse lui jurer une adoration sans limite et s'embraser par les mots. Tout cela n'est qu'un badinage puéril, une amourette qui succède aux amusements naïfs de Chantenay. Pour les parents Tronson, en revanche, il est temps de mettre un terme à ce caprice : personne ne voit d'un bon œil cette amitié excessive entre un cousin et sa cousine. Le prospère Dezaunay est un parti autrement sérieux. Caroline et Émile se marient en avril 1847. Déchiré, Jules s'enfuit quelques semaines à Paris. Il n'assiste pas à la noce, prétextant la préparation de ses examens de première année de droit.

La plume de Jules Verne restera-t-elle désormais muette ? Il faut peu de temps au garçon pour se consoler. Caroline est vite oubliée, cette tendre inclination n'était sans doute que les derniers feux de l'enfance et le souvenir mélancolique des étés de Chantenay. Bientôt, Jules rencontre la passion véritable. Que Caroline soit heureuse avec son riche barbon, l'amour désormais s'appelle Herminie ! Encore une fois la ferveur du garçon s'annonce malheureuse, sa bien-aimée inaccessible : la demoiselle est fiancée à un jeune rupin à l'avenir assuré, un nobliau qui porte le fier patronyme de Terrien de la Haye. Mais qu'importe cette promesse ! En exprimant un sentiment dévorant, Jules saura peut-être détourner Herminie de son destin, la sauver d'un sort funeste. Il consacre à ce feu tout son talent de jeune poète. Il lui dédie des vers ardents où se lit, en acrostiche, le prénom chéri :

Hélas ! je t'ai donné mon cœur faible et sans armes
Et j'ai fié mon âme entière à ta bonté.
Regarde : je n'ai plus que la joie et les larmes,
Marques d'amour, hélas ! ou d'infidélité.
Il te faut décider ce que ton cœur t'inspire ;

Ne va pas épargner ma joie ou mes douleurs !
Il me reste pour toi pour t'aimer un sourire...
Et c'est pour ton refus que j'ai gardé mes pleurs.

La blonde et sylphide Herminie acceptera-t-elle les brûlants hommages de son soupirant ? Elle se dérobe, elle se fait capricieuse. D'un rire clair, elle renvoie le garçon à ses devoirs d'étudiant, le rend fou de jalousie en restant désespérément fidèle à son fiancé. Jules copie soigneusement ses vers enflammés sur les pages d'un carnet, il nomme son bel amour « follet léger » et « fille de l'air », toutes les angoisses de la passion inassouvie le déchirent, il attend, il se languit...

Point très grand, le visage fin éclairé de deux yeux couleur océan, les cheveux clairs bouclés et perpétuellement embroussaillés, la voix profonde, Jules Verne séduit surtout par le verbe. Il parle poésie et musique, littérature et théâtre. Qu'Herminie le suive et il fera la conquête des scènes parisiennes, il connaîtra, demain, la gloire des premières triomphales. Car Jules ne fait pas que rimailler, il écrit aussi des drames inspirés par Victor Hugo, l'inévitable idole de sa génération. Dans les tiroirs du garçon s'accumulent les manuscrits. Des textes qui dorment du sommeil mortifère des œuvres ignorées. Même le directeur du petit théâtre de marionnettes reste sourd aux sollicitations de l'entreprenant dramaturge : il refuse obstinément de monter les tragédies versifiées que le jeune auteur lui adresse.

Jules Verne ne cesse pourtant d'imaginer des scènes et de combiner des mélodrames. Peut-être sera-t-il avoué, mais en attendant qu'on le laisse vivre ses passions par la plume. Il écrit *Alexandre VI* sur les terribles Borgia, *La Conspiration des poudres* pour conter une conjuration catholique dans l'Angleterre du XVIIe siècle, *Un drame sous Louis XV* où il met en scène des amours tragiques. En même temps, il commence un roman : *Un prêtre en 1839,* aventure désordonnée où le toit d'une église s'effondre sur les fidèles, comme pour faire la nique aux aspirations religieuses de papa.

Jules consentirait à la rigueur de reprendre un jour l'étude familiale s'il pouvait à jamais continuer à versifier drames et sonnets au côté d'Herminie. Mais les parents de la jeune fille prennent ombrage de l'insistance du jeune gandin. Quoi ! La belle héritière des Arnault de la Grossetière irait se compromettre avec le fils d'un avoué ! Descendante de riches propriétaires nantais, Herminie doit aimer et convoler dans son milieu et il ne saurait être question de rompre l'union annoncée pour s'allier à une famille sans doute honorable mais de petite fortune. À quel avenir peut donc prétendre ce modeste rimailleur ? Sans ménagement, le jeune homme est renvoyé à ses chimères.

Pour Jules Verne, c'est un second échec sentimental, plus ravageur encore que le précédent. Il se sent l'éternel rejeté, le sempiternel second, entré trop tard dans la vie et le cœur de ses dulcinées. Nantes et son ordre bourgeois l'écœure. Les maisons patriciennes alignées le long de la Loire, l'arrogante assurance de la haute société bretonne, la tranquillité satisfaite des possédants lui font désormais horreur. En quelques vers, il exprime toute sa hargne :

De riz, sucre, un peuple marchand,
Sachant bien compter son argent,
Qui le jour la nuit le tourmente ;
Le sexe en général fort laid,
Un clergé nul, un sot préfet,
Pas de fontaines : c'est là Nantes !

Il lui faut s'évader, s'inventer une autre existence, pleurer à jamais Herminie et se venger en s'élevant plus haut encore que les repus Arnault de la Grossetière ou les florissants Terrien de la Haye, s'étourdir dans le travail et l'écriture, créer un monde, se consoler dans le refuge réconfortant de l'imaginaire.

Paul a déjà quitté la Bretagne. Il s'est engagé comme élève officier sur un navire qui vogue vers les Indes. Ce diable de frère vit pleinement ses fureurs aventureuses : quand il ne parcourt pas la mer, il grimpe vers le sommet du Mont-Blanc en des expéditions périlleuses qui font l'admiration de tous.

Jules aussi veut abandonner Nantes, délaisser cette ville cruelle, ses vieillards aigris, ses enfants soumis, ses poètes méprisés. La vraie vie se déroule ailleurs.

À Paris, l'Histoire s'élabore dans les convulsions révolutionnaires. Au mois de février 1848, la colère populaire a élevé des barricades pour chasser du trône le roi Louis-Philippe et son régime englué dans les difficultés économiques, discrédité par les scandales.

Mais ces bouleversements politiques n'ont rien résolu. Les Ateliers nationaux créés par le gouvernement pour fournir une activité aux chômeurs coûtent cher. Effet pervers, l'industrie privée voit ses usines se vider, les ouvriers se précipitent vers ces miraculeux chantiers où ils touchent deux francs par jour pour des tâches inutiles et dérisoires. Certes, l'idée est généreuse et cadre bien avec les idéaux prônés par le vaste mouvement prolétarien : l'avènement d'un monde nouveau où le travail pour tous devient un droit. Mais déjà les faits sont têtus, les Ateliers nationaux font vite figure de grève subventionnée par l'État. Le gouvernement se résout à leur fermeture le 21 juin. Le peuple de Paris se sent trahi, les grandes espérances s'effondrent et, le surlendemain, la capitale se réveille sur un cri répété de quartier en quartier, relayé de barricade en barricade :

– Du pain ou du plomb !

En quatre jours, la république brise le soulèvement. L'armée affronte une population descendue des quartiers les plus miséreux, le canon crache le feu et les maisons où se terrent les insurgés s'écroulent, écrasant les habitants réfugiés derrière leurs murs. Les barricades volent en éclats. Le sang colle au pavé.

D'abord, l'instauration d'un régime républicain ne trouble pas la quiétude de Nantes. Une Commission démocratique organise seulement une vaste manifestation de soutien au nouveau gouvernement et plante un arbre de la Liberté sur la place Royale rebaptisée place de l'Égalité.

Mais en juin, quand vient l'heure du soulèvement populaire, la bourgeoisie nantaise frémit pour ses privilèges. Quelle république veulent donc imposer ces Parisiens enragés ? Trois cents gardes nationaux nantais partent sur les bords de la Seine afin de soutenir les forces gouvernementales. Le temps de s'équiper et de s'armer, la troupe bretonne arrive dans une capitale tranquille où l'ordre est depuis longtemps rétabli.

En définitive, pour Nantes, la seule répercussion de ces sanglantes journées parisiennes sera le rapatriement de la dépouille du général Jean-Baptiste Bréa. La ville offrira de somptueuses funérailles à cet officier tué sur une barricade alors qu'il tentait de parlementer avec les insurgés.

Jules Verne se soucie peu de toute cette agitation, trop occupé à entretenir sa douleur sentimentale. Malgré les incertitudes politiques, il veut partir se réfugier à Paris. Car il le sait maintenant, Herminie, sa chère Herminie, son unique amour, se mariera dans quelques jours, le 19 juillet. Ainsi donc, la perfide n'a pas rompu le lien qui l'unissait à la fortune et à la sécurité ! Peu avant la date fatidique des épousailles, Jules s'empresse de fuir Nantes, une fois de plus.

Au mois d'août, il devra passer ses examens de deuxième année de droit. En attendant, il est hébergé rue Thérèse chez sa grand-tante Charruel, sœur de sa grand-mère de Provins. À peine arrivé, le temps de poser ses bagages et il s'en va par les rues...

Quel contraste avec le calme de Nantes ! Ici, les discussions politiques animent tous les quartiers. Ouvriers déçus, intellectuels aux rêves républicains, bonapartistes nostalgiques, monarchistes obstinés réinventent la société. Jules arpente la rue Saint-Jacques, la rue Saint-Martin, la rue Saint-Antoine : sur les façades, il suit les traces des drames survenus voilà quelques semaines. Il voit les murs criblés de balles, les maisons éventrées à coups de boulets, les balcons arrachés par la mitraille. Et il attend les événements : les plus déchaînés annoncent que Paris sera détruit demain dans un grand embrasement insurrectionnel, avant la fin du mois il ne restera rien de l'orgueilleuse cité, tout flambera dans un immense chambardement révolutionnaire.

La nuit, dans sa petite chambre, ce n'est pas l'holocauste promis qui hante les songes de Jules mais l'image récurrente de l'aimée. À la mairie de Nantes, la misérable a prononcé le « oui » qui étouffe à jamais les espoirs d'hier. Le sommeil du jeune homme est agité de sombres tourments. Il voit un salon illuminé de mille flammes, un salon de fête où l'on rit malgré la tristesse qui a envahi l'âme du dormeur. Deux jeunes gens vont se marier : elle, si belle dans sa robe blanche, lui, si fier dans son costume noir. À l'entrée de la salle, un homme barbu, le paletot élimé, s'accroche par les dents au marteau de la porte... Mais personne ne remarque ce vieux fou solitaire, le banquet de la noce se déroule dans les hoquets gavés de la digestion. Au son des tintements joyeux des verres qui s'entrechoquent, les jeunes époux échangent de doux propos et s'observent en souriant. L'homme au paletot élimé, toujours, mordille le marteau de la porte. Le père du marié raconte des gaudrioles à la mère de la mariée et celle-ci, en souriant, caresse le genou de l'audacieux. Ambiance glauque. Liesse et désespérance se mêlent. Le marié se lève et, sur un ton pathétique, récite un poème délirant. Il parle de sa jeune femme, il appelle « bruyante charlatane » celle « dont les regards ont frappé sur mon cœur comme sur un tambour... ». Les convives applaudissent, mais ils s'évaporent déjà, ils s'effacent et la chambre nuptiale apparaît tandis que toutes les bougies s'éteignent et remplissent l'air d'une sombre fumée à l'odeur âcre et pénétrante...

Jules Verne se réveille en sursaut. Ce n'était donc qu'un cauchemar. Mais aussitôt la réalité s'abat sur lui comme une chape, plus douloureuse, plus angoissante qu'un songe : Herminie ne reviendra plus, Herminie est mariée.

Relatant ce rêve dans une longue lettre hallucinée adressée à sa mère, Jules conclut tristement : « Voilà bien des bêtises, mais à cette occasion il fallait que mon cœur débordât ! » Quant au père, il reprend la missive et, méticuleusement, en corrige l'orthographe et la tournure, comme s'il savait déjà que ces lignes intimes devaient, un jour, faire l'objet de publications et d'études. Étrange bonhomme qui, pour toute réponse au chagrin de son fils, pour tout écho à ses divagations désespérées, se contente de pointer les imperfections stylistiques. « Les joies du ciel *emplirent* le cœur des fiancés », écrit Jules. Non, rectifie papa, « les joies du ciel *inondent* le cœur... », terme qui lui semble plus poétique et mieux approprié. Quant à la « *bruyante* charlatane », qui paraît sans doute trop tapageuse au sage avoué, elle devient *« brillante »* sous sa plume critique. Et puis, quand les deux jeunes époux du rêve sont « serrés l'un près de l'autre », le père barre vertueusement ces mots qui pourraient choquer la famille et la postérité.

Jules a-t-il eu connaissance de ces absurdes modifications ? En tout cas, jamais plus il n'adressera à ses parents des messages aussi personnels. Son abondante correspondance sera désormais pleine de menus faits, rendra compte de ses activités et de son affectueuse attention, mais il ne se laissera plus glisser sur la pente dangereuse de la confidence exaltée. Seule allusion : les cérémonies nuptiales seront toujours associées à des veillées mortuaires. Il évoquera constamment le mariage de ses proches en parlant de « cérémonie funèbre », regardant avec une certaine ironie ces tralalas bourgeois, persuadé que des pères intransigeants conduisent invariablement vers l'autel des jeunes filles au cœur déchiré, des fiancées malheureuses pleurant en secret un amant répudié.

Ses examens de seconde année de droit passés et réussis, Jules continue à s'enivrer du spectacle parisien. Édouard Bonamy, son camarade de Nantes, son condisciple de l'école de Droit, l'emmène dîner chez une aimable douairière et la bonne dame offre à ses hôtes une carte d'entrée pour la Chambre des députés. Quelle aubaine !

Le mardi suivant, jour des questions au gouvernement, Jules se précipite au Palais-Bourbon et prend place dans les rangs du public. L'affaire du moment tourne autour du journaliste Émile de Girardin, emprisonné pour avoir osé vitupérer le pouvoir. Cette incarcération préoccupe peu le visiteur, il est venu simplement observer les célébrités alignées devant lui : le poète Alphonse de Lamartine, le socialiste Louis Blanc, le théoricien Joseph Proudhon, le politicien Adolphe Thiers, le savant François Arago... Mais qu'importent toutes ces éminentes figures, car bientôt monte à la tribune un homme aux cheveux ras, les joues glabres et roses. C'est Victor Hugo. Pour mieux voir, pour ne rien perdre du spectacle, Jules bouscule une dame, arrache la lorgnette des mains d'un monsieur, joue des coudes. Pendant une demi-heure, l'illustre personnage parle de la nécessaire liberté d'expression, sa voix tonitruante roulant sous les hautes voûtes, mais Jules n'écoute pas vraiment. Ce n'est pas le parlementaire humaniste que le jeune Nantais admire et dévisage, c'est le chef de file du romantisme, l'auteur de *Cromwell,* le vainqueur de la bataille d'*Hernani,* le maître qui a rejeté le drame classique dans les vieilles lunes du passé.

Jules Verne n'a que vingt ans, mais il en est certain : pour vivre ses ambitions, pour imposer son œuvre dramatique, il a besoin de l'agitation et du bouillonnement de la grande ville. Puisque Nantes et ses préjugés lui ont refusé le bonheur, c'est dans la capitale qu'il viendra triompher, c'est dans la capitale qu'il marchera sur les traces du grand Hugo, c'est dans la capitale qu'il forcera les portes des théâtres et fera jouer ses pièces. Il le voit, il le sait : bientôt son nom se lira en gros caractères sur les affiches jaunes des grandes scènes nationales. Quels regrets pour Herminie qui l'a dédaigné ! Quelle revanche sur la morgue hautaine des Arnault de la Grossetière !

L'été venu, le jeune étudiant doit retourner chez ses parents, mais il est bien décidé à venir s'établir à Paris avant la fin de l'année. Pour la famille Verne, il ne s'agit que d'une installation provisoire, le temps pour le garçon de terminer ses études. Jules est seul à le savoir : jamais plus il ne retournera vivre à Nantes.

II

SUR LA SCÈNE PARISIENNE

Une grande kermesse populaire est annoncée pour le dimanche 12 novembre 1848. Lamartine invite le peuple de Paris à venir célébrer, place de la Concorde, la proclamation de la Deuxième République et l'établissement d'une nouvelle Constitution. Jules Verne et son condisciple Édouard Bonamy décident de quitter Nantes le vendredi précédant ces réjouissances : ils tiennent absolument à être de la fête.

Dans des caisses envoyées par la malle-poste, ils ont entassé vêtements et livres qui leur permettront de passer une sereine année universitaire. Munis seulement de deux bagages légers, ils emprunteront la diligence en direction de Tours et, de là, prendront le chemin de fer pour la capitale. Maman Verne pleure un peu, papa compte les dépenses qu'entraînera l'installation de Jules : le loyer, la subsistance, le bois de chauffage, les frais d'inscription, les ouvrages de droit...

Jules et Édouard grimpent dans la vieille patache. Un palefrenier prépare les chevaux, ces odeurs de crottin et de paille mêlées sont déjà celles de l'aventure... D'autres voyageurs ont pris place sur les banquettes de velours élimé. Dans un remue-ménage de pieds et de bras, ils cherchent à trouver leurs aises, à s'emboîter les uns dans les autres. Discrètement, Jules repousse un pied trop avancé, un coude mal venu, il assure sa place, s'enfonce un peu plus dans son siège. Hissé sur le marchepied de la portière, Pierre Verne embrasse son fils, saute à terre et lui lance un dernier conseil :

– Tâche de te nourrir pour deux francs par jour.

Un coup de fouet claque, les chevaux piaffent et la lourde voiture s'ébranle. Jules se tord le cou un long moment pour voir encore sa mère qui agite son mouchoir. Il fixe cette silhouette aussi longtemps qu'il le peut... Enfin la diligence prend un virage, lui cachant l'image maternelle et il regarde, en avant, le chemin qui file droit, ouvrant un long ruban terreux dans la prairie. Il ne se retourne plus tandis que les contours de Nantes s'estompent. Il se sent libre et détendu. Il songe à ses parents, à Paul qui vogue sur quelque mer lointaine, à ses trois petites sœurs, à leurs jeux dans les vignes de Chantenay, à Caroline, à Herminie, mariées si vite et si mal, à tout ce petit monde qui fut le sien et qui reste là-bas, au bord de la Loire. Il est étonné de ne pas ressentir cette vive douleur qui devrait sans doute accompagner les grands départs, juste une légère nostalgie pour son enfance. Le passé s'efface sur un rythme cahotant.

Arrivés à Tours, Jules et Édouard cherchent à prendre place dans le premier train en partance pour Paris. Hélas, le convoi est réservé aux délégations de la garde nationale qui montent vers la capitale pour célébrer l'avènement de la République. Si les deux jeunes gens ne veulent pas arriver en retard à la Concorde, il leur faut absolument se mêler aux troupes, mais la gendarmerie surveille les abords des wagons. Un brigadier avise ces particuliers portant gibus et costume sombre :

– Où sont vos sabres et vos uniformes ?

– Dans nos valises, répond Jules sans se démonter.

Dubitatif, le brigadier observe ces individus à l'allure bien peu réglementaire :

– Et vos ordres de voyage ?

Cette fois, Jules reste coi. Pris de court, un peu gêné, il marmonne quelques paroles incompréhensibles ... République... Concorde... Fête de la Constitution... Les resquilleurs sont imperturbablement repoussés. Ordre reste à la maréchaussée.

Déconfits, les jeunes gens doivent attendre jusqu'au lendemain l'arrivée d'un train autorisé aux civils. Avec ce retard imprévu, ils ne débarquent à la gare d'Orléans que le dimanche soir. En quelques bonds, ils sont à la Concorde mais ne peuvent assister qu'aux derniers flonflons des réjouissances républicaines. Une fine couche de neige recouvre la place, déjà on éteint les lampions et les derniers groupes de fêtards s'enfoncent dans la nuit. Les deux provinciaux ont raté leur entrée dans Paris.

Mais il n'est pas temps de se lamenter, il faut d'urgence trouver un gîte. Ils arpentent les rues, passent d'une adresse à l'autre, visitent les pensions où les étudiants bretons ont l'habitude de se retrouver. Finalement, ils dénichent deux chambres dans le quartier Latin, au 24 de la rue de l'Ancienne-Comédie.

Jules fait ses comptes. Malgré les conseils de papa, il est bien difficile de se nourrir à Paris pour deux francs par jour. Il prévoit soixante-dix francs par mois. Avec les trente francs de loyer, on en arrive déjà à une dépense fixe de cent francs. Somme à laquelle il faut ajouter d'autres frais réguliers et indispensables comme le blanchissage et le raccommodage... Jules compte et recompte. Peu à l'aise avec les chiffres, il s'empêtre dans les virgules, refait ses calculs et, finalement, réclame à son père une petite rallonge sur le pécule promis. Il demande cent cinquante francs mensuels, somme que son père consent à lui accorder après avoir scrupuleusement vérifié estimations et additions.

Le jeune homme pourrait désormais vivre une joyeuse existence dans l'effervescence du quartier Latin. Mais à peine arrivé, il est pris de coliques violentes et régulières. Est-ce la douleur d'avoir perdu Herminie ? Est-ce la peine d'avoir quitté ses parents ? Est-ce la crainte des lendemains ? Est-ce plus simplement une affection organique ? Presque chaque nuit, il se réveille saisi de vomissements, les viscères tordus, retourné par les diarrhées. Il met tout d'abord ces embarras gastriques sur le compte de la nourriture, améliore son ordinaire, choisit avec soin ses restaurants quotidiens. Rien n'y fait. Les dérangements intestinaux ne le quittent plus.

Cette brusque indisposition, survenue au moment même où il largue les amarres et choisit sa vie, transforme l'énergique Nantais en un être souffreteux, perpétuellement inquiet, excessivement attentif à sa petite santé, un hypocondriaque guettant le moindre symptôme. Quand une brève épidémie de choléra se déclenche à Paris, Jules y trouve l'occasion de laisser éclater toutes ses terreurs et il souffre dans son âme les affres de l'incurable, bien persuadé qu'une aussi terrible maladie ne saurait l'épargner. Les insidieux bacilles se faufilent partout, ils le guettent, prêts à fondre sur lui. Il sait bien que son imagination grossit le danger et que son obsession de la maladie devient pathologique, pourtant il ne peut s'en défendre. Cette fois, le choléra ne le frappe pas, il en réchappe. Mais plus tard ? Et ses entrailles se déchirent toujours. Il lui faut apprendre à vivre avec son mal d'estomac, il lui faut apprendre à en rire aussi : « Je me suis lavementé à derrière que veux-tu ! » confie-t-il élégamment à sa mère.

Malgré ses intestins en désordre, il court les théâtres. Son ami Édouard a obtenu de ses parents une petite subvention destinée tout spécialement à lui permettre d'assister aux principaux spectacles ; Jules, lui, préfère épargner la rente paternelle et se fait engager dans les claques pour bénéficier de billets de faveur. Au parterre, dans la rangée réservée aux « claqueurs », il peut voir gratuitement toutes les pièces données sur les boulevards. Sa seule obligation est d'applaudir avec chaleur, d'éclater d'un grand rire ou de pousser des soupirs de stupéfaction sur les ordres discrets du chef de claque. Moyen commode d'entraîner l'adhésion du public et d'assurer le succès d'une représentation. Si les goûts théâtraux de Jules sont éclectiques, ils reflètent néanmoins parfaitement les engouements du moment. Il apprécie les drames shakespeariens mais aussi les vaudevilles d'Eugène Scribe, le vieil auteur qui triomphe depuis trente ans par ses joyeuses satires de la société bourgeoise.

Dans les chambres contiguës à celle du jeune Nantais sont venus s'installer deux camarades d'enfance, un certain Charles Maisonneuve et Aristide Hignard, compositeur de musique au talent modeste mais à l'ambition sans borne. Jules, qui apprécie la musique et joue agréablement du piano, passe des heures avec Aristide, parlant chansons, arpèges et contrepoints. L'un compose, l'autre griffonne des poèmes.

Et puis, la bohème des étudiants les aspire. La nuit tombée, le quartier Latin s'anime de bandes joyeuses venues bambocher dans les venelles alentour. Autour de la Sorbonne et de l'Odéon, dans l'atmosphère enfumée des caboulots, à la lumière vacillante de chandelles fumeuses, on boit des alcools de toutes les couleurs. Assis à des tables bancales, on s'enflamme en parlant littérature et poésie, peinture et politique, on se rit des bourgeois et on rêve la vie.

Jules participe à ces jeux avec le clan des Bretons qui se retrouvent pour évoquer la lointaine patrie. Il s'accroche une pipe entre les dents et se laisse pousser une barbe hirsute et blondasse, histoire de ne pas trop déparer dans la faune des noctambules parisiens... Il voudrait se donner l'apparence d'un poète romantique mais, ainsi arrangé, il ressemble plutôt à un Viking en veston fraîchement descendu de son drakkar.

Avec ses compagnons, il fonde un petit cercle de célibataires : les Onze-sans-femme qui tient ses assises hebdomadaires chez Vachette, un restaurant à l'angle du boulevard Poissonnière et de la rue du Faubourg-Montmartre, réunion des journalistes, de la bohème et des cocottes du quartier. Avec une componction affichée, les acolytes s'écoutent à tour de rôle vilipender les nœuds de l'hymen et lancer sur la gent féminine tous les anathèmes de la terre. Ils déclament des textes, lisent des poésies polissonnes, jurent solennellement d'éviter à jamais la corde au cou, se vengeant ainsi de leurs peines de cœur. Le trio fondateur – Verne, Hignard et Maisonneuve – fait partie de droit de la confrérie, mais on voit aussi participer à cette coterie misogyne des noms promis à une certaine célébrité : le compositeur Victor Massé, le dessinateur Stop, le dramaturge Eugène Verconsin.

Tous ces agréables commensaux courtisent les muses et rêvent de gloire, mais ils ne sont rien encore. Jules Verne sait bien que deux ou trois chansonnettes hâtivement concoctées avec Hignard, des albums de vers en souvenir d'Herminie et quelques tragédies composées naguère à Nantes ne sauraient le projeter sur les sommets convoités. Si ses études juridiques avancent honorablement, s'il s'apprête à passer bientôt ses examens de licence, la carrière d'auteur dramatique à laquelle il prétend est toujours hors de portée. À quelle porte frapper ? Il ne connaît encore à Paris qu'une poignée d'étudiants bretons.

Heureusement, son oncle Francisque La Celle de Châteaubourg, le beau-frère de sa mère, vient le tirer de son isolement. Rentier nantais prospère, amateur d'art, peintre à ses heures, l'oncle Francisque a épousé en premières noces Pauline de Chateaubriand, la sœur du poète, ce qui lui vaut d'être accueilli dans les salons littéraires parisiens. Il entraîne son neveu dans les soupers priés où l'on croise publicistes, industriels et diplomates. Muni d'une paire de gants neufs, Jules est accueilli chez Mme de Barrère et le raffiné M. de Châteaubourg souffle au jeune homme ses ultimes recommandations :

– C'est le moment d'avoir de l'esprit !

Vaine exhortation. Jules, trop intimidé, reste le plus souvent muet. Il se contente d'observer et d'approuver tout le monde, acquiesçant aux opinions les plus diverses, abondant poliment dans le sens de ses interlocuteurs. Car si l'on discute beaucoup théâtre et littérature, on évoque aussi délicieusement la chasse, les chevaux et les voitures, et quand ces sujets essentiels sont épuisés, on parle politique. Insignifiantes conversations qui assomment le garçon. Tout cela lui paraît superficiel et oiseux, mais il reste fasciné par l'aisance avec laquelle les distingués convives évoquent les grandes personnalités du moment. Celui-ci semble être au mieux avec Lamartine. Celui-là évoque d'un air blasé le prince-président dont il se prétend un familier. Une femme embijoutée assure, entre deux coupes de champagne, avoir ses entrées chez Victor Hugo...

Jules, espérant croiser un jour l'une de ces célébrités chez Mme de Barrère, revient souvent traîner ses guêtres dans cette assistance de dandys et d'élégantes. L'hôtesse juge bientôt le temps venu de secourir ce jeune Nantais qui s'ennuie à Paris entre mondanités et cours de droit. Or, elle est l'amie de la jeune Marie Dumas, fille de l'auteur des *Trois Mousquetaires.* Une rencontre entre l'illustre écrivain et le débutant ambitieux pourrait être l'amorce d'une fructueuse carrière... Par l'intermédiaire de Marie, Mme de Barrère obtient en faveur de son protégé une invitation pour une soirée de première au Théâtre Historique.

Depuis deux ans, Alexandre Dumas dirige cette grande salle du boulevard du Temple. Avant les échauffourées du mois de juin, il y a fait donner des chefs-d'œuvre et y a connu des triomphes comme *La Reine Margot* ou *Le Chevalier de Maison-Rouge,* mais depuis la révolution les recettes ont inexorablement chuté ; même un drame signé Balzac, *La Marâtre,* n'a pu attirer les grandes foules qui auraient sauvé les finances déficitaires du théâtre. Nouvelle tentative : pour profiter du succès fabuleux de ses romans de cape et d'épée, l'auteur a brossé un drame en cinq actes, *La Jeunesse des mousquetaires.*

Samedi 17 février 1849, à la nuit tombée, Jules Verne pénètre dans le théâtre le cœur battant. Après avoir franchi l'entrée flanquée de cariatides impressionnantes, il avance dans la salle au plafond décoré de fresques à l'antique où sont évoquées quelques grandes figures de l'art dramatique, Sophocle, Aristophane, Molière, Racine. Il lève les yeux sur les cinq étages de balcons, jette un regard sur le rideau qui dissimule encore une scène immense... Les lieux sont à la mesure colossale et monstrueuse du père Dumas.

L'intervention de Mme de Barrère a été fort efficace : pour cette soirée mémorable, Jules Verne est convié dans la loge personnelle du maître. Immense et ventripotent, le fameux romancier est là, assis – étalé plutôt – sur un fauteuil de velours rouge. Jules aperçoit encore Théophile Gautier, le journaliste Émile de Girardin, le prosateur Jules Janin venus avec déférence saluer leur collègue. Confus, rougissant, l'invité prend place au côté d'un jeune homme long et dégingandé, la moustache agressive et les cheveux en bataille. C'est Alexandre Dumas fils. Le jeune

Dumas n'a que vingt-cinq ans, à peine quatre ans de plus que Jules, mais il connaît déjà la célébrité : son roman *La Dame aux camélias,* paru un an plus tôt, a provoqué le scandale qui lui a valu un beau succès de librairie.

Le rideau se lève, les mousquetaires ferraillent sur scène, Dumas père commente les événements de sa voix de basse, il annonce les effets, révèle ce qui va survenir, marmonne les meilleures répliques avant les comédiens... L'action sur les planches et le spectacle dans la loge s'entremêlent dans une cacophonie de mots. Mais pour Jules Verne cela est de peu d'importance. Si le vieux Dumas ne lui accorde pas un regard, trop préoccupé par le sort de sa pièce et de son théâtre, le fils s'intéresse amicalement à ce provincial venu se mesurer à la grande ville. Jules a assez lu, assez écrit pour soutenir une conversation littéraire.

Tous deux commentent les derniers spectacles des boulevards, pourfendent les romanciers à la mode et puis, rapidement, l'aparté prend un tour plus personnel. Alexandre Dumas et Jules Verne évoquent leurs œuvres théâtrales futures. L'un avoue peaufiner en ce moment l'adaptation dialoguée de sa *Dame aux camélias,* l'autre aborde en soupirant le sujet délicat de ses vaines tentatives et de ses drames versifiés encore totalement inédits... Dumas fils hoche la tête : pour forcer la porte des théâtres, il faut débuter par un petit acte. Par les temps qui courent et les difficultés économiques des salles, aucun directeur n'acceptera de monter une tragédie en cinq actes signée par un inconnu.

Imaginatif, Dumas suggère une anecdote qui pourrait faire l'objet d'une brève comédie. Il déroule l'intrigue... Une dame réclame de son mari un collier de prix. Il refuse, elle insiste. Pour en finir avec les exigences de son épouse, monsieur se résout à un petit jeu qui déterminera le parti à prendre. Le premier des deux qui acceptera un quelconque objet de l'autre aura, de ce seul fait, dissout l'accord et devra, en conséquence, accepter sans protester la décision prise par le vainqueur. Chacun s'applique donc à surprendre l'autre, jusqu'au moment où surgit l'inévitable amant. Pour dissimuler le galant aux yeux de l'époux, il est enfermé à double tour dans un placard. Jaloux et méfiant, le mari réclame la clé. Elle lui est remise... Il a perdu son pari. Selon l'expression du temps, il a « rompu la paille ». La gourgandine aura son collier.

En acceptant de composer cette comédie légère baptisée *Les Pailles rompues,* Jules Verne renonce à son style romantique et emphatique. Cette fois, il ne puise plus son inspiration chez Victor Hugo, il fait du Marivaux à la sauce XIXe siècle. Dans l'espoir de voir ses rimes prendre vie sur une scène, il force sa nature et consent à de durs compromis.

Alexandre Dumas fils et Jules Verne se revoient souvent dans les semaines suivantes. Jules jette sur le papier les répliques de la pièce, il cherche le rythme de ses vers, lit la première mouture à son nouveau mentor qui l'aide à construire les scènes ou à renforcer l'action. *Les Pailles rompues* terminées, elles sont soumises à Dumas père qui accepte de recevoir l'acte sur les planches du Théâtre Historique. Une représentation comprend alors toujours plusieurs titres, une œuvre principale et une ou deux saynètes légères données en lever de rideau ou en fin de soirée. Dumas conserve l'ouvrage de Jules Verne pour compléter l'un de ses programmes. Cette fois, il semble bien que les portes du succès et de la gloire s'entrouvrent devant le jeune Nantais.

Mais pour l'heure, il a d'autres soucis. Il a juste vingt et un ans et, selon la loi de conscription, il doit participer à la cérémonie hasardeuse qui déterminera s'il doit ou non effectuer son service militaire. Comme l'armée n'a ni les structures nécessaires ni les moyens suffisants pour enrôler toute la jeunesse française sous les drapeaux, elle a adopté judicieusement l'usage du tirage au sort. Le jour du recrutement, des boules numérotées sont mélangées dans une urne, chaque appelé plonge la main et le sort décide : selon le chiffre puisé le garçon est engagé pour une période de cinq ans, ou pour un an seulement, ou même purement et simplement réformé.

Chanceux à cette loterie militaire, Jules est exempté. Il exulte ! Pour lui, la discipline sous l'uniforme, le pas cadencé et le maniement des armes demeurent la plus haute expression de l'abêtissement humain. Il écrit à son père : « Ces domestiques en grande ou petite livrée, dont l'asservissement, les habitudes et les mots techniques qui les désignent les rabaissent au plus bas état de la servitude. Il faut parfois avoir fait abnégation complète de la dignité d'homme pour remplir de pareilles fonctions ; ces officiers et leur poste préposés à la garde de Napoléon, de Marrast[1],

1. Armand Marrast (1801-1852) avait été nommé président de l'Assemblée constituante à la suite des journées de février 1848.

que sais-je ? – Quelle noble vie ! quels grands et généreux sentiments doivent éclore dans ces cœurs éblouis pour la plupart ! – Prétendent-ils se relever par le courage, par la bravoure ! Mots en l'air que tout cela ! Il n'y a ni courage ni bravoure à se battre quand on ne peut pas faire autrement... » Cette déclaration antimilitariste met en rage le bon avoué nantais qui conseille à son fils un peu plus de pondération et de patriotisme.

Papa peut bien fulminer, Jules est débarrassé de cette corvée militaire qui lui aurait dévoré son temps et son énergie. Heureusement, car on imagine mal au régiment ce jeune homme égrotant. Quand il n'est pas au théâtre, à l'école de Droit ou à sa table de travail pour aligner des vers, il court les médecins, les magnétiseurs et les pharmaciens. Ses tiraillements d'entrailles le font toujours souffrir, il adopte un régime rigoureux, échange son café matinal contre un chocolat chaud, supprime le pain frais pour n'ingurgiter que des miches rassises censément plus digestes, renonce aux légumes qui, lui a-t-on assuré, sont difficiles à assimiler par l'organisme et se met à la bière afin d'éviter l'eau susceptible d'être contaminée. En même temps, il essaie toutes les potions, tous les purgatifs, avale des pilules et des sirops, s'applique consciencieusement et régulièrement des lavements au sous-nitrate de bismuth, se frictionne vigoureusement de baumes miraculeux et ne sort plus sans une peau de chat dissimulée sous la chemise, douce compresse réchauffant son estomac douloureux.

En 1850, il soutient avec succès sa thèse de droit. Événement qui met un point final à ses études. Mais la grande affaire de cette année-là est ailleurs. Le 12 juin, le Théâtre Historique crée enfin *Les Pailles rompues*. Débuts bien modestes : l'acte est donné après le spectacle, vers minuit, et il n'est repris qu'une douzaine de fois dans les semaines suivantes. Ces représentations rapportent la somme de quinze francs à l'auteur, maigre gratification qui ne mortifie guère le jeune dramaturge. Il en est à l'âge où l'on préfère l'estime de ses contemporains à toutes les richesses.

Jules promet d'envoyer le texte de la pièce à sa famille de Nantes. Mais il doit d'abord être imprimé et les éditeurs refusent de publier la plaquette, présumant avec quelque raison que les ventes resteront confidentielles. Avec l'appui moral de Dumas fils et le soutien financier de l'ami Charles Maisonneuve, Jules parvient à convaincre le libraire Beck. Pour la première fois le nom de Jules Verne apparaît sur la couverture d'un ouvrage. Mais avant d'obtenir cette belle promotion, il a fallu user de l'influence d'un auteur célèbre et puiser dans la cassette d'un camarade compréhensif...

Ça ne fait rien, lorsqu'il retourne à Nantes afin de passer les vacances d'été, il fait figure de héros triomphant, d'auteur glorieux joué et édité à Paris ! Le maire de la ville, l'avocat Évariste Colombel, félicite avec chaleur le dramaturge pour sa belle réussite parisienne et le théâtre local met *Les Pailles rompues* au programme de la saison suivante. *Le Courrier de Nantes* n'est pas en reste, il relate le triomphe de la comédie et annonce déjà que les deux concitoyens Jules Verne et Aristide Hignard unissent leur talent pour produire chansons et opérettes. Quand *Les Pailles rompues* seront données à Nantes au mois de novembre, le critique du *Courrier* évoquera avec quelque excès la foule empressée venue « saluer la réputation naissante d'un compatriote aimé ».

De retour à Paris, plein de confiance, Jules poursuit son activité littéraire. Il écrit les paroles de chansons mises en musique par son ami Hignard, et un autre Nantais, le baryton Charles-Amable Battaille, s'en fait l'interprète sur la scène de l'Opéra-Comique. À vingt-huit ans, le Dr Battaille a décidé d'abandonner la pratique médicale pour se lancer dans le bel canto et il trouve ses premiers succès avec les textes de Jules Verne. Il interprète *Les Gabiers*[1], chanson maritime dans laquelle les trois Bretons font vibrer toute leur âme nostalgique :

Alerte,
Alerte, enfants, alerte,
Le ciel est bleu, la mer est verte,
Alerte, alerte...

Jules pourtant n'aime pas la manière de chanter de Battaille, il trouve que l'artiste force trop sur les effets, qu'il en rajoute dans la grandiloquence émue. Mais il ne dit rien, tout cela est sans importance, il ne s'agit que d'un amusant délassement.

Pour papa Verne aussi ces chansonnettes sont sans conséquence, ces petites victoires facilement obtenues ne doivent pas détourner son fils de l'essentiel : le droit. Puisqu'il a obtenu son diplôme, il est temps

1. Les gabiers sont les matelots chargés des manœuvres sur les voiles.

pour lui de revenir à Nantes afin d'apprendre le métier et s'initier aux mystères d'une étude d'avoué. Mais non, Jules refuse avec entêtement de quitter Paris. S'il partait maintenant il perdrait l'avantage de ses rencontres, de ses fréquentations, de ses relations. Il s'enfoncerait pour toujours peut-être dans la grisaille nantaise et il se voit mal dans la peau d'un juriste provincial : « Je puis faire un bon littérateur, et ne serais qu'un mauvais avocat », plaide-t-il non sans bon sens.

Mais il faut bien gagner quelques sous. Jules se fait alors répétiteur pour universitaires en difficulté. Le père éructe. À quoi ont donc servi toutes ces études ? Puisqu'il est décidé à rester dans la capitale, qu'il s'inscrive au moins au barreau ! Jules est accablé : s'il était avocat, il n'aurait plus une heure à consacrer à l'écriture... Pour assurer l'ordinaire, il accepte du bout des lèvres une place de clerc chez Me Paul Championnière, un avocat ami de la famille. Une demi-mesure qui ne tranquillise pas tout à fait Pierre Verne.

Certain que son fils ne reviendra pas de sitôt à Nantes et ne reprendra pas l'étude du quai Jean-Bart, le père accepte de l'aider financièrement à quitter sa petite chambre pour emménager dans un appartement des grands boulevards.

À vingt-trois ans, Jules abandonne la vie d'étudiant et le quartier Latin pour élire domicile à proximité des théâtres où il cherche la gloire. Avec l'argent de papa, il achète un lit de fer, un sommier élastique, un matelas, une grande table, quelques chaises, une commode, bientôt un piano d'occasion. Eugénie, la femme du cousin Henri Garcet, un professeur de mathématiques au lycée Henri-IV, vient lui coudre des rideaux et le voilà dans ses meubles. L'inséparable Hignard s'installe sur le même palier : ils se promettent de réaliser ensemble de grandes choses.

Au mois de mars 1851, Jules doit prendre son poste appointé chez Me Championnière, mais le bienveillant avocat tombe malade et meurt quelques semaines plus tard. Le jeune homme suit l'enterrement, bouleversé. Pour la première fois, la mort a frappé dans son entourage. Mais toutes les manifestations religieuses autour du cercueil l'agacent et il ne s'en cache pas : « Est-ce qu'au-delà de la tombe il y a des inégalités de fortune ? Je ne puis le croire ! Et s'il n'en est pas ainsi, pourquoi toutes ces messes payées par les parents ? »

Cette disparition brutale et inattendue libère Jules Verne. Il ne sera jamais clerc. Désormais, il se consacrera entièrement à la littérature.

III

BOULIMIE ET FRÉNÉSIE

Jules Verne se croit, se veut, se sait dramaturge promis aux plus brillants succès. Ses tentatives se font un peu brouillonnes et il saisit toutes les opportunités. De passage à Paris, Évariste Colombel, maire de Nantes, fier du petit renom théâtral de son ancien administré, lui présente Jacques Arago, frère de François, l'illustre astronome, lui-même homme de lettres, grand voyageur et auteur d'un surprenant *Voyage autour du monde*. Aveugle depuis une douzaine d'années, le bonhomme reste pourtant, à un peu plus de soixante ans, un littérateur actif, charmant, plein d'esprit.

Arago s'entiche de son jeune confrère en littérature et, de la nuit dans laquelle il est plongé, évoque avec une faconde réjouissante ses expéditions d'antan, les mers tempétueuses, les steppes lointaines, les forêts impénétrables... Jules devine une réalité insoupçonnée. Il découvre que derrière les froids rapports de la géographie universelle peuvent se cacher des contrées bouillonnantes, torrides, agitées, une nature indomptée et menaçante, des peuplades passionnées, déchirées par la violence, tout un monde offert à une plume romanesque. Le vieil explorateur est une bonne source d'inspiration : dans ses écrits, il ne s'est jamais contenté du style rationnel et détaché de ses collègues. Au contraire, il a multiplié les dialogues et les figures saisissantes, les ébauches d'intrigues et les portraits vivants, mêlant sans doute un peu d'imaginaire à ces choses vues. Jacques Arago et Jules Verne s'entendent à merveille malgré la différence d'âge, ils envisagent même d'écrire une pièce à quatre mains, projet vite abandonné car le jeune homme se tourne vers d'autres activités.

En effet, pressentant les merveilleuses qualités du novice, Arago le confie à son ami Pitre-Chevalier, un Breton de Paris, directeur d'une revue intitulée *Musée des familles*. Pour quelques francs, Jules Verne veut bien compromettre sa plume dans des articles de prétendue érudition géographique mâtinés d'aventures exaltantes. Ce genre de récits éducatifs destinés à tous les publics assure le succès du magazine. Relations d'expéditions au long cours, descriptions de tribus inconnues, vulgarisation scientifique, gravures en noir et blanc plongent les lecteurs dans la stupéfiante découverte de contrées ignorées. Jules Verne n'a encore jamais voyagé mais, bénéficiant des lumières d'Arago et d'une fertile imagination, il parviendra bien à recréer ce qu'il ignore. Le *Musée des familles* a besoin de textes, il lui en fournira.

Pour ce travail de commande, Jules se plie au style à la fois narratif et instructif du mensuel. Il mobilise toutes ses lectures enfantines, appelle à la rescousse les mânes de Walter Scott, de Fenimore Cooper, de Daniel Defoe, convoque en son esprit les Mohicans et les Robinsons, retrouve en frémissant les engouements de jadis. Pour débuter, il écrit une prétendue étude historique : *Les Premiers Navires de la marine mexicaine.* Sur un bateau espagnol, la mutinerie gronde, les marins révoltés assassinent leur capitaine et s'en vont à Mexico négocier la vente du bâtiment... Jules Verne ne se contente pas d'échafauder une palpitante aventure, il se complaît aussi dans la description minutieuse des paysages, parsemant son texte d'informations précises sur la hauteur des montagnes et la latitude des sites traversés.

La nouvelle paraît au mois de juillet 1851. Pitre-Chevalier est fort satisfait de sa jeune recrue et l'encourage à persévérer. Jules se remet à la tâche et invite son père à s'abonner au plus vite au *Musée des familles* car ses textes vont s'y succéder.

Un mois plus tard, en effet, paraît *Un voyage en ballon,* chronique présentée comme l'authentique relation d'un aérostier. Mais le délire de l'anecdote, la folle épopée dans les airs, la chute vertigineuse de la nacelle ne laissent pas longtemps subsister l'artifice. Il s'agit bien d'une fiction, un cocktail efficace et surprenant d'humour glacé et de précisions techniques. Un genre nouveau qui séduit Pitre-Chevalier.

Pour s'attacher les talents du jeune écrivain, le rédacteur en chef l'entraîne dans sa maison de campagne à Marly-le-Roi. Avec lui, il rédige une comédie en un acte, *Les Châteaux en Californie ou Pierre qui roule n'amasse pas mousse,* l'histoire d'un architecte parisien parti en Amérique participer à la ruée vers l'or. La méthode de travail et d'invention utilisée par Pitre-Chevalier laisse Jules Verne pantois : dans les tiroirs du *Musée des familles* dorment quelques illustrations déjà gravées, prêtes à être publiées, thème et personnages doivent donc être agencés dans le seul but de permettre l'utilisation de ces clichés ! Les deux auteurs s'amusent tout de même à parsemer les répliques de calembours qui les mettent en joie : « Mieux vaut lard que navet », « Un bon chien vaut mieux que deux plus gros rats », « Le temps est un grand maigre »... Pourtant, Jules renie aussitôt la pièce, traitant avec agacement l'œuvrette de « berquinade », allusion aux ouvrages faciles et naïfs d'Arnaud Berquin, auteur pour enfants du XVIIIe siècle.

Après ces publications, la plume de Jules Verne reste silencieuse. Sa santé subit une soudaine altération. Aux coliques habituelles s'ajoute une paralysie faciale qui immobilise tout le côté gauche du visage. Une paupière, une joue et la moitié de la bouche restent inertes et ni lui ni Victor Marie, son médecin, ne savent à quoi attribuer cette crise. Le patient est soigné à l'électricité, un courant de haute fréquence appliqué sur la mâchoire inférieure devrait débloquer les muscles coincés. Séances pénibles dont il ressort grelottant de fièvre. Heureusement, le mal s'estompe et disparaît. Jules peut à nouveau grimacer et sourire, son visage retrouve toute sa symétrie : « Je suis capable de siffler les meilleures tragédies du monde », écrit-il alors, soulagé.

Jules Verne va reprendre ses activités. Mais le temps est-il vraiment à l'écriture de comédies légères et d'aventures exotiques ? Comme toute la France, il attend les événements. En cette fin d'année 1851, Louis-Napoléon Bonaparte, président de la République depuis bientôt quatre ans, a rassuré les partisans de l'ordre. Mais de nouvelles élections approchent et, selon les lois constitutionnelles, le prince ne peut poser sa candidature pour un second mandat. Propriétaires et affairistes craignent des bouleversements qui livreraient la France aux excès des extrémistes révolutionnaires. Dans les coulisses du pouvoir, une poignée d'aventuriers nourrissant des rêves de gloire et de fortune poussent l'héritier des Bonaparte à tenter le coup d'État qui rétablirait la légitimité impériale.

Au matin du mardi 2 décembre, les forces fidèles à Louis-Napoléon occupent le Palais-Bourbon et les points stratégiques de la capitale, les journaux sont réduits au silence, les chefs de l'opposition jetés en prison. Sortant de chez lui, Jules Verne ne se doute encore de rien. À quelques pas de son immeuble, il avise un groupe qui semble fort agité devant une affiche collée dans la nuit. Il s'approche et lit cet appel au peuple signé par le prince-président : « Si vous voulez continuer cet état de malaise qui nous dégrade et compromet notre avenir, choisissez un autre à ma place... Si, au contraire, vous avez encore confiance en moi, donnez-moi les moyens d'accomplir la grande mission que je tiens de vous. »

On murmure dans toute la ville que le prince va être traduit devant la Haute Cour, qu'un nouveau gouvernement va sauver la République... Deux jours plus tard, sur les boulevards, Jules voit des barricades se dresser, il ne veut se mêler de rien et rentre s'enfermer dans son appartement. « Il ne faut pas dire un mot, sans quoi l'on se ferait prendre », confie-t-il à sa mère. Ce 4 décembre, des soldats ivres, paniqués par une foule menaçante, ouvrent le feu. Dix minutes d'un tir nourri qui abat au hasard insoumis et passants, enfants et vieillards.

Le lendemain seulement, Jules met le nez dehors. Il observe les maisons aux façades creusées par la mitraille et déambule sur les boulevards occupés par l'armée. Et puis, bien vite, il retourne chez lui et s'assied à sa table de travail ; l'ami Hignard est au piano et tous deux composent l'opéra-comique qui sans doute triomphera un jour. Ils vivent l'un et l'autre dans un univers protégé et irréel, un monde de théâtre et d'artifice où les réalités sont en carton-pâte et les horizons dessinés à coups de pinceau.

Alarmé par les événements parisiens, le père demande une ultime fois à son fils de rentrer à Nantes. Pour le convaincre, il propose même de lui céder sa charge d'avoué : Jules reprendrait seul l'étude et c'en serait fini avec la vie étriquée et incertaine de la capitale. Le fils répond aimablement mais fermement. Il n'a pas de grands besoins financiers et puis, entre ses mains, la belle étude nantaise ne pourrait que péricliter. Il lui faut absolument poursuivre dans la voie difficile du théâtre.

Dépité de ce refus définitif, Pierre Verne vend sa charge d'avoué et prend sa retraite à l'âge de cinquante-quatre ans. Et comme il s'ennuie un peu, il se consacre à l'écriture, profitant des relations de son fils. À Pitre-Chevalier, il soumet une étude sur Dante que le rédacteur en chef garde sous le coude, promettant de la publier un jour prochain.

En juillet 1852, le *Musée des familles* s'ouvre sur un nouveau récit signé Jules Verne. Le jeune homme renoue avec la manière qui semble si bien lui réussir. Dans *Martin Paz,* sous-titré *Mœurs péruviennes,* le lecteur retrouve les grands espaces et la brutalité des hommes en colère. Les tribus autochtones se révoltent contre l'oppression espagnole tandis que l'Indien Paz se meurt d'amour pour la belle Sarah... Jules Verne fait vivre une Amérique latine où il n'est évidemment jamais allé, seules comptent pour lui l'aventure, la vraisemblance historique et la précision géographique.

Jules Verne trouve dans les ouvrages de la Bibliothèque nationale le cadre de ses nouvelles et dans les réminiscences de ses anciennes lectures la chair de ses héros. La vie réelle, la société qui l'entoure, les amis qu'il fréquente et les problèmes qu'il surmonte sont totalement absents de son travail. Mais à force de caricaturer peuples et personnages, il lui arrive de se fourvoyer. Le père adoptif de Sarah est un usurier juif et l'auteur se lance dans une description effarante d'un vieux trafiquant aux mains crochues...

Où a-t-il puisé ce portrait de juif détestable et caricatural ? Dans le Shylock du *Marchand de Venise* de Shakespeare, dans le Manassé ben Israël du *Cromwell* de Victor Hugo, dans l'Élie Magus du *Cousin Pons* de Balzac ? Les références abondent. En cherchant son inspiration dans une documentation hybride, faite de souvenirs littéraires, d'études scientifiques et d'enquêtes géographiques, il lui arrive de mêler l'effroyable aux plus exactes descriptions. Si détestables soient-ils, ces préjugés ne sont que de plume. Au quotidien, Jules Verne n'exprime jamais le moindre sentiment antisémite, ni dans ses propos ni dans sa correspondance. Pour un écrivain français des années 1850, le juif est encore un type romanesque, détaché de toute réalité.

D'ailleurs, dans l'esprit de Jules Verne, cette littérature destinée aux adolescents rêveurs n'est que billevesée. Ce n'est certainement pas avec ces historiettes saugrenues qu'il va connaître le succès et la fortune. Même son père s'inquiète. Il craint que son fils ne s'égare dans ce journalisme sans panache et sans avenir. « Pourquoi n'écris-tu plus de vers ? » interroge-t-il anxieux. Jules le rassure. Depuis plusieurs mois, il est plongé dans une entreprise audacieuse : « dans le genre des pièces de Musset », il conte les amours de Monna Lisa et de Léonard de Vinci. Et puis, avec Charles Wallut, un chroniqueur du *Musée des familles,* il compose un drame en cinq actes. Mais à quoi sert d'écrire pour la scène s'il ne peut être joué un jour ? Inlassablement, il continue à faire l'assaut des théâtres.

Depuis le mois de janvier de cette année 1852, il a ses entrées au Théâtre Lyrique, opéra nouvellement installé dans la salle du boulevard du Temple abandonnée par Alexandre Dumas pour cause de faillite. Jules y travaille comme secrétaire particulier – et bénévole – du directeur. Dans l'espoir de fréquenter des auteurs, des acteurs et des courriéristes, il accepte de seconder Edmond Seveste, puis son frère Jules qui lui succède trois mois plus tard. Fonctionnaire ubiquiste, Jules est partout, il accueille les auteurs, distribue les billets aux invités, tente de répondre aux caprices des divas, arpente la scène, file dans les coulisses, fonce dans les loges cherchant un accessoire, stimulant un chanteur, veillant à la bonne marche des répétitions de *La Pie voleuse* de Rossini ou du *Roi Yvetot* d'Adolphe Adam. Une activité débordante qui ne l'engraisse pas mais lui donne un statut social et lui permet d'espérer glisser dans la programmation ses livrets mis en musique par Aristide Hignard.

Enfin vient son heure. Pour récompenser une telle abnégation, après bien des hésitations, Jules Seveste consent à monter *Le Colin-Maillard,* opéra-comique en un acte. Exceptionnellement, concession à la mode du moment, Jules Verne a bien voulu renoncer aux vers. Pour réussir dans la prose théâtrale, un genre nouveau pour lui, il s'est assuré la collaboration de Michel Carré, auteur confirmé dont les pièces ont accédé à la prestigieuse scène de la Comédie-Française. Les deux librettistes ont écrit une fable, sage et édifiante, sur un baron volage du XVIIIe siècle qui, dans les quiproquos d'une partie de colin-maillard, sous les verdures du bois de Meudon, courtise une femme délaissée jadis et finit, fort raisonnablement, par l'épouser...

Ni la musique ni l'anecdote ne vont bouleverser l'histoire de l'opéra. La première est donnée le 28 avril 1853 et la critique se montre plutôt sceptique, même si quelques journalistes amis feignent l'enthousiasme. La pièce sera jouée encore quelques soirées puis disparaîtra à jamais dans les oubliettes où s'abîment les œuvres insipides.

Décidément, le chemin du succès est bien long. Il faut encore s'atteler à une nouvelle pièce pour le Théâtre Lyrique, un nouveau récit pour le *Musée des familles.* Jules se morfond. Jusqu'ici rien ne lui a vraiment réussi. Quelques articles et deux succès d'estime au théâtre peuvent peut-être éblouir les rustauds de Nantes mais ne font pas illusion à ses propres yeux. Il est sans le sou, contraint d'envoyer ses chemises à maman pour qu'elle rapièce les cols et les poignets élimés et, quand les temps se font trop durs, il doit implorer à papa quelques francs supplémentaires, art dans lequel il est passé maître. Il vient d'emménager dans un nouvel appartement au cinquième étage du 18, boulevard Bonne-Nouvelle, cent vingt marches à gravir avant d'entrer dans son repaire, mais l'installation a grignoté ses ressources. En vers, il mendigote une petite rallonge à ses parents :

Mon cher papa, ma chère maman,
J'ai d'une soixantain' de francs
Un besoin vraiment très pressant,
Car tout payé, il est patent
Que j'n'aurai plus un sol vaillant...

Et le père répond sur le même ton :

Tes vers ont bien de l'agrément
Mais ils seraient bien plus charmants
S'ils ne me coûtaient soixante francs !

Un voyage à Nantes vient le distraire de son découragement. Voilà deux ans déjà qu'il n'est pas retourné au foyer familial et l'arrivée en Bretagne de son frère Paul, revenu des Antilles, lui donne l'occasion de retrouver les siens. Mais partir, même quelques semaines, c'est risquer de mécontenter le sévère Jules Seveste et, peut-être, de perdre les avantages de sa fonction au Théâtre Lyrique. Prudent, il demande à son père de lui adresser une lettre dans laquelle sa présence à Nantes serait réclamée pour une affaire familiale urgente... Fort de cette missive, victorieusement brandie sous les yeux du directeur, Jules peut s'échapper vers sa ville natale dès les premiers jours de janvier 1854.

Il arrive juste à temps pour participer à la grande réjouissance de la belle société locale : le bal costumé offert chaque année à la même époque par un magistrat du cru, le président Janvier de La Motte. Jules y apparaît déguisé en « incroyable », méconnaissable sous l'habit à basques vertes, la cravate de mousseline et le bicorne des extravagants du Directoire. Bien vite, l'élégant révolutionnaire avise une Gitane affublée d'une jupe colorée et froufroutante, superbe travestie au teint pâle sous des cheveux de jais. Elle s'appelle Laurence Janmar et Jules apprend aussitôt qu'elle vit un grand amour avec un dénommé Charles Duverger... Passion partagée mais contrariée par la famille, le père Janmar ne veut rien entendre et cherche un autre prétendant pour sa fille.

Devant les grands yeux noirs de Laurence, Jules sent faiblir toutes ses résistances au conjungo. La belle n'est point disponible ? Elle n'en est que plus désirable. Décidément, le jeune homme ne peut aimer que des demoiselles promises à d'autres.

L'incroyable à la barbe blonde entraîne la Gitane dans un joyeux quadrille qu'il voudrait voir durer toute la vie... Un incident va ruiner ses faibles espérances. Alors que Laurence se plaint à son amie des baleines de son corsage qui lui vrillent les côtes, Jules croit opportun de déployer sa verve libertine :

– Ah ! que ne puis-je pêcher la baleine sur ces côtes !

Le mot fait le tour des convives. Il est répété de proche en proche et parvient aux oreilles de M. Janmar. Celui-ci ne goûte guère cet esprit outrageusement parisien, ce ton dévergondé l'offusque au plus profond de lui-même. Comment ce garçon sans avenir, ce petit secrétaire de théâtre, peut-il se permettre de telles privautés ?

Dans les jours suivants, Jules tente bien de revoir la resplendissante Gitane qui l'a ébloui le temps d'une fête, mais il est éconduit sans ménagement par l'irascible patriarche. Il est prié d'aller exercer son humour ailleurs et de ne plus importuner la demoiselle.

Revenu à Paris, l'amoureux congédié s'interroge avec anxiété sur son devenir. Son accablement se fait plus profond encore lorsqu'il apprend que l'objet de sa flamme, lassé sans doute de l'intransigeance paternelle, s'est enfui pour épouser furtivement son amant... Ah, comme il aurait voulu que Laurence fasse preuve d'un tel courage pour l'amour de lui ! Par une malédiction tragique, toutes les femmes dont il s'est épris avaient déjà donné leur cœur[1]. Peut-être ne

1. Il est piquant de noter que, soixante ans plus tard, Jules Verne aurait fait un parfait patient pour le Dr Freud. En effet, dans *Contribution à la psychologie de la vie amoureuse,* le psychanalyste analysera le comportement amoureux de certains névrosés et en donnera une description qui peut nous paraître calquée sur les tribulations sentimentales du jeune Verne : « Le sujet ne choisit jamais comme objet d'amour une femme encore libre..., mais exclusivement une femme

peut-il aimer qu'en se mesurant à un autre, en cherchant à se faire préférer, en bravant l'impossible... Hélas, jamais il n'est parvenu à changer le cours du destin. Caroline, Herminie, Laurence... toutes l'ont renvoyé à sa solitude. Mais en affrontant l'inaccessible, ne cherche-t-il pas surtout à se protéger, à se prémunir contre les menaces d'un mariage qu'il désire et redoute tout à la fois ?

En plein désarroi, il se tourne vers sa mère. Il veut soudain se marier. Très vite. Il épousera celle qu'elle lui désignera. Que maman se fasse marieuse, qu'elle lui trouve une charmante Nantaise pour partager sa vie : « C'est le vrai moment de me marier, ma chère mère, si bien que je t'engage à te mettre en campagne ; munis-toi de tout ce qu'il faut pour me présenter comme un garçon très conjugal, parfaitement assaisonné et cuit à point ; en un mot, fais l'article "fils à marier", et place-moi entre les mains d'une jeune fille bien élevée, et bien riche... »

Sous le ton ironique perce le dépit. Car tout se dérobe. Jules Verne trime gracieusement pour Jules Seveste, empile des comédies et des drames qui ne sont pas joués, agence des récits qui font le bonheur de Pitre-Chevalier mais ne lui apportent guère la consécration attendue. Par moments, il songe à se faire avocat ou à se retirer dans quelque campagne pour moissonner les champs.

De plus, sa santé se détériore constamment. Les contrariétés et les déceptions le minent. Il est saisi

---

sur laquelle un autre homme... peut faire valoir des droits de propriété... »

d'une nouvelle attaque de paralysie faciale, la moitié de son visage est engourdie et le Dr Marie préconise encore des séances d'influx électriques. Jules est inquiet. Quelles sont les causes de cette affection ? Et s'il devenait fou ? S'il était atteint d'une mystérieuse maladie nerveuse ? À la crainte des terrifiants bacilles s'ajoute maintenant l'angoisse d'un dérèglement du cerveau. Le matin, au réveil, il a peur de se lever, il sait que la journée sera faite de vomissements, de diarrhées et de douleurs qui vont l'épuiser. Il redoute les vertiges, la paralysie générale, la démence. Et si un jour il ne parvenait plus à écrire ? S'il entrait à jamais dans une nuit abjecte peuplée de cauchemars ? Ses parents suggèrent que la vie parisienne ne lui réussit peut-être pas... Mais non, ce n'est pas la vie parisienne, « c'est la vie en général qui ne me convient pas beaucoup », répond-il sombrement. Afin d'apaiser la crise de paralysie faciale, l'électrothérapie ne suffit pas. Il lui est conseillé de se frotter la mâchoire avec de la strychnine et, pour se frictionner plus consciencieusement, il se rase la barbe et laisse apparaître un visage charmant de grand adolescent buté qui le surprend lui-même.

Jules Verne a le sentiment pénible et déchirant d'entrer dans une existence gâchée, ratée. Parfois il envie Paul qui parcourt le monde sur son navire. Au large de la Crimée, son frère est engagé dans la guerre par laquelle le Second Empire se cherche une légitimité internationale, il participe au siège de Sébastopol destiné à contenir les appétits envahissants du tsar Nicolas Ier. Si la bêtise militaire ne l'accablait pas,

Jules partirait volontiers, lui aussi, chercher sur les champs de bataille des victoires que la vie civile lui refuse.

Pourtant, de pâles soleils viennent parfois le réconforter. Pitre-Chevalier a publié au mois d'avril 1854 un nouveau conte de sa composition : *Maître Zacharius ou L'horloger qui avait perdu son âme.* Cette fois, le jeune homme lorgne vers le fantastique, imaginant un horloger qui défie Dieu afin de créer la vie.

Mais il faut attendre presque une année pour que le *Musée des familles* accueille dans ses colonnes une autre fiction du même auteur. Avec *Un hivernage dans les glaces,* Jules abandonne le style fantasmagorique de *Zacharius* et s'adapte au public familial de la revue. Pitre-Chevalier connaît ses abonnés – il sait que cet épisode sur fond d'exploration scientifique dans les régions polaires plaira aux lecteurs avides de s'instruire en se distrayant – aussi croit-il utile d'attirer leur attention sur ces pages. Il fait au texte de son collaborateur l'honneur d'une petite présentation : « Après les martyrs de la foi, les plus admirables sont les martyrs de la science, et parmi ceux-ci les plus héroïques sont les navigateurs... Il n'y a pas, dans l'histoire si intéressante des voyages, d'épisode plus curieux, de tableau plus saisissant, de drame plus accidenté qu'*Un hivernage dans les glaces* ; c'est le résumé de toutes les luttes, de toutes les surprises, de toutes les émotions, de toutes les péripéties... »

Le rendez-vous de Jules Verne avec son étoile se fera-t-il dans les pages du *Musée des familles* sous la houlette de Pitre-Chevalier ? Non. Le jeune auteur croise son destin mais ne le reconnaît pas. Il ne voit dans ses récits qu'une besogne dérisoire. En effet, quel labeur opiniâtre, quel acharnement sur le style, quel monde à soulever, quelle documentation à réunir avant de venir à bout de ces aventures arctiques ! Et pour quel bénéfice ? Quelques colonnes dans une gazette familiale et puis le silence, l'indifférence. Il vaut mieux retourner rapidement au théâtre où l'attendent des triomphes.

Voilà déjà deux ans, depuis *Le Colin-Maillard,* que Jules Seveste promet de faire jouer un second opéra-comique de son fidèle secrétaire particulier. Le trio Verne-Carré-Hignard se remet donc au travail et fournit un nouvel acte au Théâtre Lyrique : *Les Compagnons de la Marjolaine.* Mais les impitoyables obligations de la rentabilité et de la programmation enterrent pour longtemps ces *Compagnons* dans les tiroirs directoriaux. À la fin du mois de juin 1854, le choléra emporte le pauvre Seveste, aussitôt remplacé par Émile Perrin, un artiste peintre à la petite barbichette grise qui abandonne les pinceaux pour se consacrer à l'administration théâtrale.

Grâce à Jules Verne, qui connaît tout de la maison, la transmission des pouvoirs se fait en douceur et le nouveau patron, reconnaissant, fait créer le 6 juin 1855, en ouverture de soirée, le petit opéra-comique de son secrétaire. L'histoire de ces compagnons arborant une marjolaine à la boutonnière venus enlever la fille d'un aubergiste passe totalement inaperçue.

Jules commence à comprendre que son dévouement au Théâtre Lyrique ne lui apporte rien de concret. Il est bien décidé à claquer la porte et à chercher la gloire ailleurs. Perrin tente de le retenir et lui offre une part sur les bénéfices de l'entreprise. Le directeur ne se soucie guère de l'auteur dont il se priverait bien volontiers, mais il a besoin du secrétaire qui l'épaule efficacement. Non, Jules Verne ne sera pas un rond-de-cuir du théâtre. Il se dégage des chaînes qui, depuis trois ans et demi, l'attachent à la salle du boulevard du Temple, et retrouve sa liberté.

Liberté qu'il voudrait toujours bien aliéner pour un beau mariage. Même s'il affiche son mépris pour la vie conjugale, sa solitude le désespère et l'angoisse. Maman se démène à Nantes. Elle a jeté son dévolu sur Ninette Chéguillaume, une jeune fille de dix-huit ans que son père, opulent marchand de coton, cherche à caser. Comme la donzelle a du bien et qu'elle n'est point déplaisante, les parents Verne proposent l'un ou l'autre de leurs fils, au choix. Jules s'exalte pour ce projet. Encore une fois, il ne peut que s'enthousiasmer pour un hymen aux difficultés insurmontables : la famille Chéguillaume est réticente et puis, en tout état de cause, Paul, plus jeune et à la profession mieux assise, lui serait préféré... Finalement, Ninette n'épousera aucun des deux frères, le vénérable richard a d'autres prétentions pour son héritière.

Jules se remet facilement de cette petite blessure d'amour-propre. Débarrassé de la perspective de promptes épousailles comme de son office au Théâtre Lyrique, il peut maintenant tout à loisir, et du matin au soir, élaborer son œuvre, ciseler ses dialogues, enrichir ses rimes. Sa paralysie faciale le fait souffrir à nouveau. Il n'ose plus sortir de peur d'être surpris avec ce visage défiguré. Tendu, nerveux, il dort mal. Il devient maladivement boulimique, mange n'importe quoi, n'importe comment, avale des quantités impressionnantes, le plus rapidement possible, avec avidité, saisi de fringale, comme s'il était impatient d'engloutir les aliments trop vite rejetés par ses dérangements intestinaux. Il travaille avec la même fureur compulsive. Il expulse frénétiquement sur le papier les traces de son génie méprisé. Il reprend sempiternellement sa *Monna Lisa,* découd l'intrigue et la refond, écrit des chansons, des poèmes, des drames et des comédies. De tout, sauf des romans. Il ne publie plus rien, il ne se fait plus jouer nulle part, mais il déploie dans le secret de son appartement une intense et inutile activité.

IV

UNE JEUNE VEUVE TRÈS AIMABLE

Le petit groupe des Onze-sans-femme s'effiloche. En dépit de toutes les règles véhémentement énoncées, les joyeux drilles de la société abdiquent les uns après les autres et se font passer la corde au cou. Dernier baroud d'honneur, Jules Verne félicite son ami l'avocat Ernest Genevois de ses noces prochaines en ces termes : « Songe que tôt ou tard, je suis appelé à devenir le consolateur de ta femme. Tu connais mes goûts. Choisis-la en conséquence. » Pitrerie que le fiancé n'apprécie pas. Il répond à son ami que, s'il convole un jour, son lot à lui sera bien d'être cocu... « Vive le cocuage ! répond Verne toujours aussi goguenard, c'est autant de besogne épargnée ! »

Même son médecin, le cher Victor Marie, consent à prendre femme. À l'église Saint-Germain-des-Prés, il épouse la fille d'un membre de l'Institut de France, un beau et riche parti qui devrait favoriser la carrière du jeune praticien. Jules, l'ami et le patient, ne manque pas la cérémonie, mais il explose d'un irrépressible fou rire au moment où les époux échangent les anneaux... Une immense et envahissante hilarité mal étouffée : tout ce décorum lui paraît à la fois lugubre et comique.

Deux mois plus tard, le 20 mai 1856, il est invité aux noces du notaire Auguste Lelarge, camarade de Nantes et cousin par alliance – il est le frère d'Eugénie, celle qui lui avait cousu les rideaux de son appartement. Auguste épouse une demoiselle d'Amiens, Aimée Deviane, fille d'un capitaine des cuirassiers à la retraite. Encore un mariage ! Jules, choisi comme témoin et garçon d'honneur, ne peut se dérober à cette corvée et, pour gagner les bords de la Somme, doit faire deux heures de train, inconfortablement assis sur une banquette de bois d'un wagon de la Compagnie des chemins de fer du Nord.

Ce blondin qui s'est à nouveau laissé pousser une barbe échevelée arrive à Amiens l'esprit en proie aux plus sombres ressentiments. Mais il oublie vite sa rancœur anti-maritale, la famille Deviane l'accueille spontanément comme un fils. Il est reçu avec bonhomie chez les parents de la mariée, au 54, boulevard Fontaine[1], et passe une semaine entière à banqueter. Il ne voit rien de la ville, à peine aperçoit-il l'impressionnante cathédrale, vaisseau de pierre veillant sur la cité. Les ripailles de la fête n'en finissent pas. Chaque jour, la famille et les invités se mettent à table vers midi pour en ressortir vers trois heures et ils y retournent à six heures de l'après-midi pour prolonger les agapes jusqu'à onze heures... Et quel régal ! Les pâtés d'Amiens, les andouillettes farcies, les jambons cuits

1. Actuel boulevard Carnot.

et fumés se succèdent. Et ce sont, à chaque occasion, des sanglots émus, des embrassades affectueuses, des congratulations pathétiques, des accolades attendries... Les parents de la fiancée ont la larme et l'amitié faciles. Et puis, dans l'étourdissement des petits vins, on se lie aisément.

Pour Jules, ce séjour amiénois est une troublante révélation. Il existe donc autre chose que les froids calculs de papa et la retenue pudique de maman ? Il existe donc un monde où l'on vit avec spontanéité dans la tendresse joyeuse, sans autre souci que le plus simple des bonheurs ? Il est tellement perturbé par cette hospitalité chaleureuse qu'il en oublie d'être malade. Soudain, il se porte comme un charme. Ni paralysie faciale, ni colique.

Il sympathise avec toute la maisonnée, avec le fils, un garçon de son âge prénommé Ferdinand, avec la fille cadette Honorine... Charmé par la famille dans son ensemble, il est séduit par cette jeune femme de vingt-six ans vêtue de noir. Elle est délicieuse et semble si douce lorsqu'elle lève vers lui ses yeux tristes. Il ne peut que tomber éperdument amoureux, les obstacles à un quelconque mariage semblent infranchissables : elle est veuve depuis neuf mois seulement et mère de deux fillettes en bas âge. Elle n'a pas encore surmonté la mort de son pauvre mari, un clerc de notaire dénommé Auguste Morel, emporté l'été précédent par une fulgurante fluxion de poitrine.

Jules veut sauver la belle solitaire de sa douleur, lui rendre l'espérance et lui offrir l'oubli, aussi lui fait-il une cour assidue... Par éclairs, Honorine semble retrouver le sourire. Le galant est bien tranquille, toute union est impossible. Il écrit aussitôt à sa mère pour lui parler de cette « jeune veuve très aimable », ne manquant pas d'évoquer l'ombre encore présente du mort et les deux gamines, pour conclure finalement : « Je n'ai pas de chance ! Je tombe toujours sur des impossibilités d'une espèce ou d'une autre. »

De retour à Paris, il reprend son travail d'écriture. Mais des modifications se sont opérées en lui. D'abord, physiquement il se sent mieux. Il n'ose pas vraiment se l'avouer mais, au fond, il se porte parfaitement bien. Et puis, la lente élaboration de la poésie, la succession des répliques jetées sur le papier ne lui paraissent plus vraiment essentielles. Il pense à Honorine, elle n'a pas paru indifférente... Toutes les difficultés qui paraissaient condamner le mariage s'effondrent.

À vingt-huit ans, il est las de sa solitude, de sa vaine course au succès et de sa dépendance financière. Il voudrait maintenant tout changer, se marier et faire fortune. Ferdinand l'a fort impressionné : ce garçon entreprenant se consacre à la finance. Intermédiaire entre les porteurs d'actions et les agents de change, le fils Deviane parvient à se faire des années à cinquante mille francs de commissions. Jules est ébloui. Cinquante mille francs ! Et sans risque aucun puisqu'il n'investit rien et travaille avec l'argent de ses clients.

Jules pourrait facilement remplir le même office à Paris, peut-être même acheter une charge d'agent de change et, les yeux rivés sur les fluctuations de la Bourse, il trouverait l'indispensable viatique qui lui permettrait de poursuivre sereinement son activité littéraire. Il écrit à son père pour lui faire part de ses nouvelles déterminations, lui demande de lui confier son capital, celui de toute la famille et il saura bien placer judicieusement le magot pour le faire fructifier.

Recevant cette missive, le père est abasourdi. Quelle est cette nouvelle lubie ? Après avoir refusé d'être avoué, après avoir renoncé à la carrière d'avocat, après avoir tout sacrifié pour ses drames et ses comédies, voilà que son imprévisible rejeton abandonne d'un coup ses plus fermes intentions pour tenter de s'enrichir par la spéculation ! Soucieux de ne pas heurter son fils de front par crainte de le contrarier et le voir s'enferrer dans une attitude stérile, il lui répond affectueusement qu'il sera toujours prêt à l'aider, mais est-il bien raisonnable de vouloir jouer à la Bourse en ce moment ? Ne vaudrait-il pas mieux poursuivre dans la littérature et tenter de placer quelque texte au Gymnase ou au Vaudeville ?

Bien sûr, Jules ne songe pas à abandonner totalement la plume, d'ailleurs il a en ce moment une comédie en cinq actes et en vers, *Les Heureux Jours,* dont le manuscrit fait avec persévérance le tour des régisseurs parisiens. Coïncidence étonnante, la pièce se déroule justement dans les milieux de la finance : un boursicoteur cherche à augmenter le patrimoine d'une veuve pour pouvoir épouser sa fille... Avec une belle unanimité, les théâtres sollicités refusent l'ouvrage, mais, étrangement, au même moment, l'auteur en devient l'un des protagonistes. C'est lui maintenant, ce financier audacieux impatient de faire travailler son capital. Alors, que l'œuvre soit ou non créée sur les planches, cela n'a plus aucune espèce d'importance. Ces « heureux jours », Jules veut maintenant les connaître dans la vraie vie.

Le capitaine Deviane l'a prévenu : s'il veut épouser sa fille, il doit se trouver une position plus stable et plus prometteuse que son infructueuse activité plumitive. Certes, le vieil officier se réjouit d'une union qui rendra le bonheur à sa fille et il témoigne déjà son affection au prétendant. Cependant, sensible aux réalités matérielles, il refuse absolument d'avoir pour gendre un dramaturge tirant le diable par la queue. Ce petit homme râblé et énergique plante bien droit son regard dans celui du jeune Verne et lui déclare tout net qu'il lui faut renoncer au théâtre. D'ailleurs, toute la famille Deviane est prête à l'aider, à le conseiller, à le pousser dans le monde des cours et des titres.

Guidé par Ferdinand, Jules est persuadé de pouvoir s'enrichir rapidement, mais il lui faut d'abord l'argent de papa pour acheter une part de charge d'agent de change. Pierre Verne est circonspect : si le fiston veut se consacrer aux affaires, qu'il commence par se faire coulissier, c'est-à-dire mandataire à la Bourse pour quelques clients. Mais cette fonction est bien trop subalterne – et de trop peu de rendement – pour les grands desseins que caresse Jules Verne. Et surtout, une aussi médiocre situation pourrait faire capoter ses projets de mariage.

En attendant, Jules se rend chaque jour au palais Brongniart, suit les fluctuations des actions, se pénètre des grands principes qui font les hausses et les baisses, observe les réactions des porteurs aux événements politiques et aux guerres extérieures. En même temps, chez lui, il se plonge dans la lecture assidue de tous les traités d'économie trouvés sur les rayonnages des libraires. Il apprend un nouveau métier et se forge une autre vie. Son amour pour Honorine, son amitié pour Ferdinand, ses illusions théâtrales écornées aussi, font de lui un boursier fervent et enthousiaste. Tout à son bonheur, et pour plaire à Honorine qui ne veut s'encombrer d'un époux littérateur, il se forge une nouvelle personnalité. Mais combien de temps se passera-t-il avant que les masques tombent et que la fiancée ne se révèle pointilleuse bourgeoise et le fiancé artiste fantasque ?

Pourtant les choses n'évoluent pas assez vite au gré de Jules. Papa doute encore de sa vocation financière et Ferdinand ne semble guère pressé de lui trouver un débouché chez un agent de change de ses relations. L'attente est longue, les lendemains incertains. Au mois de septembre, le jeune homme réagit par la maladie. Une atteinte du foie l'oblige à s'alimenter exclusivement de potages et à se purger d'huile de ricin. Il s'alite quelques jours et puis, le teint encore jaune, il repart au combat.

Il suggère à Ferdinand que, peut-être, une installation immédiate à Amiens lui permettrait de trouver une clientèle. Le père d'Honorine s'y oppose formellement : la présence permanente en ville du fiancé avant le mariage ferait cancaner dans la petite société amiénoise. Finalement, Ferdinand accepte de s'activer pour son futur beau-frère, il lui trouve une part d'un quarantième de charge d'agent de change à acheter pour cinquante mille francs. C'est une belle somme, mais Jules n'hésite pas à la réclamer à son père. Oh, il ne s'agit pas d'une donation mais d'un investissement : une telle affaire peut rapporter chaque année sept mille francs d'intérêts ! Le père sait compter ses sous et s'insurge. Cette précipitation est abusive. À quoi pense donc son fils ? À ce rythme-là, le glouton va dévorer son héritage avant l'heure ! Pierre Verne veut bien doter son fils à l'occasion de son mariage, mais de là à investir dans une charge d'agent de change... Jules doit d'abord faire ses preuves d'habile boursier. Il sera toujours temps d'aviser plus tard.

L'avenir professionnel du promis reste flou, ce qui n'empêche guère le mariage, enfin consenti par les deux familles, de se préparer. Pour ne pas heurter la famille Morel qui pleure encore le trépassé et juge inconvenante cette précipitation, les futurs époux ont résolu de repousser la cérémonie et de patienter quelques mois encore, jusqu'aux premiers jours de 1857.

En attendant, les parents Verne viennent à Amiens faire la connaissance d'Honorine et de sa famille. Rencontre courtoise mais sans réelle chaleur, l'avoué nantais et l'officier picard sont trop dissemblables pour pouvoir vraiment sympathiser. Bien vite, Pierre et Sophie Verne s'en retournent en Bretagne, Jules part pour Paris mais revient aussitôt à Amiens. On échange des cadeaux de fiançailles. Jules – qui a soutiré cinq cents francs à son père – a acheté pour sa promise des boucles d'oreilles d'occasion en diamants, Honorine lui a réservé en retour une belle chaîne en or à laquelle il pourra accrocher la montre-gousset offerte par sa future belle-mère.

Mais toutes ces gracieusetés n'interdisent pas de conserver l'esprit clair et les pieds sur terre. Un contrat de mariage établi par le cousin Lelarge spécifie que les biens des deux époux acquis avant le mariage leur resteront acquis en propre, ceux entrés plus tard dans le ménage seront versés dans l'escarcelle commune. Honorine reçoit une dot de quarante-cinq mille francs et Jules une avance sur héritage de quarante mille. Avec encore plus de trente mille francs en actions des chemins de fer appartenant à Honorine, succession de son premier mari, le couple peut bénéficier d'une petite rente régulière qui, sans l'enrichir vraiment, le met à l'abri du besoin.

Pour la noce, Jules – qui s'est tant gaussé des « cérémonies funèbres » où se perdaient ses amis – est décidé à faire les choses au plus simple. Afin d'éviter de mobiliser les familles, les oncles et les cousins et d'être certain de demeurer dans l'intimité, la cérémonie ne se déroulera ni à Amiens ni à Nantes mais à Paris. Inutile d'acheter une robe pour la mariée, Honorine en possède une assez élégante qui fera fort bien l'affaire. Inutile aussi de se lancer dans de grands frais de festivités, un passage rapide à la mairie, une petite cérémonie à l'église et un repas au restaurant seront amplement suffisants.

Le 10 janvier 1857 au matin, treize personnes sont réunies dans les salons de la mairie du IIIe arrondissement[1], place des Petits-Pères. Jules et Honorine vont s'unir devant un cénacle amical et familial réduit. Du côté du marié, il y a là ses parents, deux de ses sœurs, Anna et Mathilde, son ami Aristide Hignard et le cousin Garcet avec son épouse. La famille Deviane a fait plus discret encore : seulement les

1. Actuel IIe arrondissement. Quelques années plus tard, en effet, Paris sera redécoupé en vingt arrondissements.

parents, leur fils Ferdinand et leur gendre, Auguste Lelarge.

On signe en vitesse les papiers et le petit cortège se dépêche de se rendre à quelques pas, rue Sainte-Cécile. Sous les fraîches dorures de la nouvelle église Sainte-Eugénie se déroule hâtivement le service religieux. On en sort juste à temps pour se précipiter chez Bonnefoy, un restaurant du boulevard Montmartre spécialisé dans les cailles au gratin. Après cette course, chacun s'affale sur la moleskine fatiguée des banquettes et le repas se déroule au même pas de charge.

Pierre Verne est déçu, il aurait voulu un peu plus de solennités. Cette cérémonie bâclée, ces noces à la sauvette ne correspondent pas à sa vision d'une union chrétienne. Il sait bien que le veuvage d'Honorine imposait un peu de retenue, mais tout de même ! On aurait pu faire venir la famille de Provins et quelques cousins nantais, on aurait aussi pu choisir un restaurant plus coquet... Malgré la précipitation mise par tous à liquider ces formalités nuptiales, il a composé pour l'occasion un petit poème dont il n'est pas mécontent. Il prend le temps, au dessert, de réciter son compliment :

Si, de son paternel village
Jules, en connaisseur qui voyage
Tu t'es un moment détourné
Je savais bien qu'à ma retraite
Tu rapporterais la conquête
De quelque butin fortuné...

Puis, sentencieux et digne, il se tourne vers Honorine :

Venez, ma quatrième fille.
Bien qu'une nombreuse famille
Se serre autour de mon foyer
Une place y sera la vôtre,
Place étroite... Ah, n'en veuillez d'autre
On se presse pour se choyer.

Et voilà, tout est consommé. Chacun s'en retourne chez soi. Jules emmène Honorine dans le modeste appartement de célibataire où il vit maintenant, un sixième étage au 18, boulevard Poissonnière.

La nouvelle Mme Verne est résignée à ne plus connaître la vie tranquille et assurée menée naguère avec son clerc de notaire. Elle le sait, au côté de Jules ce sera la surprise perpétuelle, les angoisses du lendemain, la vie précaire sous les toits. Avec bonne humeur et courage, elle s'embarque dans cette existence aléatoire. Pour le moment, elle a laissé ses deux filles chez ses parents et mitonne pour son beau Breton des petits plats amiénois qu'il engloutit avec voracité, sans y prendre garde, le nez collé sur son assiette.

Peu de temps après le mariage, Aristide Hignard, toujours actif à courtiser le succès, fait publier les chansons écrites naguère avec son ami Jules Verne. Les rengaines sont un moment chantées dans les faubourgs, mais cet événement insignifiant ne trouble pas la décision du jeune marié. Devenu d'un coup époux et père de famille, il est au pied du mur : il lui faut se lancer d'urgence dans les affaires s'il veut s'assurer des fins de mois moins difficiles. Il n'a aucun doute sur son avenir de brillant spéculateur.

Charles Maisonneuve, l'ami fidèle dont les ressources avaient permis à Jules de faire éditer son premier texte, *Les Pailles rompues,* voilà sept ans déjà, intervient à nouveau. Depuis la fin de ses études, Charles s'est fait financier et il accepte de propulser dans la profession le dramaturge repenti. Profitant de cette précieuse recommandation, Jules parvient à se faire engager comme remisier chez l'agent de change genevois Fernand Eggly qui tient office rue de Provence.

Le jeune marié est bien loin de ses ambitions dévoreuses : le remisier est au plus bas de la hiérarchie boursière, il n'est que l'intermédiaire entre les clients donneurs d'ordres et les coulissiers habilités à vendre ou à acheter les titres. Pourtant, chaque jour, Jules se précipite à la Bourse, son nouvel univers. Il observe les soubresauts et les oscillations des cours, bien certain que, dans cette atmosphère perpétuellement agitée et nerveuse, la prospérité ne tardera pas à lui sourire.

Tout d'abord, il accomplit ses tâches avec sérieux et attention. Il joue une partie de son pécule, place l'argent de papa, gère le portefeuille de l'oncle Châteaubourg et engage des sommes pour quelques rares clients. Mais bien vite il se rend compte qu'il y a loin des méthodes piochées dans les livres à la réalité... Ses prévisions se révèlent erronées, ses conjectures inexactes, ses investissements calamiteux. Le grand avenir financier qu'il a voulu se forger se dissout dans l'impitoyable rigueur des chiffres.

Mais cette déplorable vérité ne saurait le détourner

de ses déambulations quotidiennes dans les coulisses de la Bourse. C'est vrai, il n'y trouve pas la fortune, mais quelle agréable compagnie ! Chaque jour, entre midi et quinze heures, des personnalités bien parisiennes du théâtre, du journalisme et de la littérature se retrouvent autour de la corbeille. Il y a là son camarade Charles Wallut, journaliste au *Musée des familles,* Ernest Feydeau, auteur à succès avec un seul roman, *Fanny,* Philippe Gille, librettiste d'Offenbach, des propriétaires de revues et des directeurs de salles. Dans ce petit groupe, Jules Verne obtient vite une réputation de piètre investisseur et de joyeux compagnon, de bel esprit narquois et railleur.

Le labeur peu absorbant du boursicotage lui laisse le temps de se replonger délicieusement dans ses manuscrits. Il se lève tôt le matin, vers cinq heures, et il écrit, enveloppé par la fumée grise de sa pipe. La plume court sur le papier, Jules retrouve son inspiration, les vers et les répliques jaillissent en longues lignes noires... Jusqu'au moment immuable où il s'en va vers son destin de remisier.

Valentine, six ans, et Suzanne, quatre ans – les deux filles d'Honorine –, sont venues habiter Paris avec leur mère. Jules les a accueillies avec un amour tout paternel, mais quel tapage, quel dérangement continuel ! Les babillages baveux de la petite et les cavalcades de l'aînée l'agacent au plus haut point. Et puis, il y a Honorine. Acariâtre, grincheuse, elle déteste voir son mari courir après les fantômes dérisoires de la littérature. Comptable de la réalité, elle accable Jules de ses incessantes récriminations et le pousse à se consacrer à une occupation plus lucrative. Elle l'abreuve d'un torrent de plaintes revêches, alors qu'il souhaiterait seulement trouver le silence et se concentrer sur ses textes.

Pour obtenir un peu de calme et se ménager un lieu de repli, Jules s'installe avec sa petite famille dans un appartement plus grand, rue Saint-Martin. Avec Hignard et Carré, il se remet au travail pour un opéra-comique en un acte, *Monsieur de Chimpanzé*. Cette œuvre, bien différente des précédentes, vibre d'une surprenante verve burlesque. Ce chimpanzé, c'est un jeune homme grimé qui s'introduit au Muséum d'histoire naturelle pour courtiser la fille du directeur... Argument prétexte à toutes les folies, à tous les délires. En fait, le trio a composé une opérette dont le genre encore balbutiant ne va pas tarder à triompher.

Les trois amis portent tout naturellement livret et partition à l'un des seuls hommes capables d'apprécier et de servir une pochade aussi extravagante : Jacques Offenbach, directeur des Bouffes-Parisiens, minuscule salle du passage Choiseul[1]. L'Allemand établi à Paris n'a pas encore connu de grands succès, mais il est persuadé que les divagations verbales et musicales de l'opérette correspondent aux temps insouciants du Second Empire et ne sauraient tarder à s'imposer. Il s'accroche et il s'acharne. Fébrile, le visage émacié, le regard enflammé derrière des petits lorgnons, il accueille avec empressement tous les jeunes gens dont il pressent un talent en gestation. Lui qui eut tant de mal à se sortir de la médiocrité,

1. Ce n'est que six ans plus tard, en 1864, que d'importants travaux transformeront les Bouffes-Parisiens et en feront l'important théâtre que nous connaissons aujourd'hui.

lui qui n'est jamais parvenu à forcer les portes des théâtres officiels, reçoit avec effusion Jules Verne et ses amis.

Monsieur de Chimpanzé est créé le 17 février 1858 sous la baguette d'Offenbach et *Le Monde illustré* se montre sensible à la musique : « M. Hignard a la mélodie assez facile, et il sait la faire ressortir, la mettre dans son jour avec toutes les ressources de l'art ; il a, en outre, une tendance marquée à l'originalité, qualité précieuse dont on ne se préoccupe pas assez, ou plutôt qu'on craint, comme entraînant par une pente trop glissante vers l'abîme du bizarre. »

Cet abîme du bizarre déconcerte-t-il le public ? L'acte ne sera joué que quinze fois avant de sombrer définitivement dans les insondables profondeurs de l'oubli.

Lesté de son ami Aristide Hignard depuis plus de dix ans, Jules ne parvient pas à prendre son envol. Peut-être devrait-il reconsidérer une collaboration qui tarde à porter ses fruits ? Mais persuadé de l'incomparable génie de son compatriote nantais, fidèle et opiniâtre dans ses attachements, il ne peut envisager de s'associer à un autre compositeur. Peut-être le talent d'Aristide lui importe-t-il moins que son amitié. Jules a besoin du souffle d'air frais, du vent d'indépendance et d'insouciance que lui apporte le musicien.

L'échec de son *Chimpanzé,* ajouté aux insupportables hurlements des gamines, rend Jules Verne irritable. De plus, il est rongé par les intarissables reproches d'Honorine qui regarde avec condescendance et mépris sa besogne littéraire. Il ne parvient ni à s'adapter à la vie qu'on lui a organisée, ni à se construire l'existence à laquelle il aspire. Il sent bien qu'il a quelque chose à offrir à la page blanche, quelque chose de neuf et de considérable, plus puissant que tout ce qu'il a tenté jusqu'à présent, mais il ne sait pas encore quoi. Le saura-t-il jamais ?

En attendant, il se compose une prestance et se fait le conseiller financier de toute la famille. Il envoie à son père des notes jargonnantes, toutes frémissantes de sa nouvelle science : « Tu commences à voir tes Ouest dégringoler après le détachement du coupon, tout comme l'Orléans ! C'était sûr d'avance... Tu ne te décideras à les vendre que quand ils seront au-dessous de 600. »

Il tente désespérément de surmonter ses déconvenues, mais une nouvelle crise de paralysie faciale le défigure. Il voudrait s'échapper vers d'autres horizons, refaire son existence... Sornettes que tout cela, il n'est pas homme à fuir ses responsabilités. L'appareil électrique du Dr Marie grésille de son courant salvateur et Jules retourne à la Bourse pour se perdre dans l'obsédante litanie des titres nominatifs et des emprunts obligataires.

V

FUIR PAR LA MER ET PAR LES AIRS

L'ami Aristide va trouver un dérivatif à l'ennui de Jules Verne. À l'été 1859, le compositeur propose d'emmener son collaborateur faire un tour en Grande-Bretagne. Il peut se permettre cette largesse : son frère Alfred Hignard, agent maritime à Saint-Nazaire, vient de lui offrir deux places sur un vapeur anglais qui fait le service de marchandises entre la France et l'Angleterre.

Ravi de cette occasion inespérée, Jules n'hésite pas. Soudain, tout est balayé. Rien ne résiste à l'appel du grand large, ni les attachements familiaux ni les obligations professionnelles. Il envoie Honorine et les fillettes à Amiens, fait patienter ses clients investisseurs et s'embarque en direction de Liverpool. À trente et un ans, il va enfin voyager, affronter les mers et connaître le doux frisson de l'imprévu.

Les deux compagnons sont résolus à pousser leurs pérégrinations jusqu'en Écosse, patrie de Walter Scott, objet des chants nostalgiques du poète et décor de ses plus fabuleux récits. Pour Jules et Aristide, les

Highlands n'ont une réalité qu'à travers les livres ; ils partent donc à la découverte du monde imaginaire de la littérature. Ce n'est pas la Grande-Bretagne concrète qu'ils recherchent mais celle fictive des héros romanesques.

Quelle expédition pour atteindre les rivages anglais, les billets gratuits ont leurs inconvénients ! D'abord, les voyageurs gagnent Saint-Nazaire où l'embarquement est prévu. Peine perdue, le navire n'est pas à quai. Renseignements pris, les deux amis apprennent, effarés, que le bâtiment s'est détourné de sa route et a pris la direction de Bordeaux où il doit charger une pleine cargaison de blé. Jules et Aristide grimpent sur un petit caboteur qui fait la liaison avec l'estuaire de la Gironde. Le périple est long et aventureux : enlisé à deux reprises dans les bancs de sable, le rafiot met soixante heures pour parvenir à bon port. Retard qui, d'ailleurs, ne porte pas à conséquence, le steamer attendu n'est pas encore arrivé et nul ne sait exactement quand il accostera. Il est parti de Glasgow, assure un fonctionnaire du bureau des douanes, il devrait surgir d'un jour à l'autre...

Pour tuer le temps, les deux amis sacrifient à tous les rites touristiques des lieux, ils poussent même jusqu'au bassin d'Arcachon où une rapide trempette dans la mer les revigore. Et les jours passent, inutiles et vides. On scrute l'horizon, mais on ne voit rien venir. Aristide, exaspéré, songe à renoncer à cette équipée incertaine. Et si on allait plutôt escalader les Pyrénées ? Jules ronchonne et ne veut rien savoir. On lui a promis l'Écosse, il veut l'Écosse. Pour l'amour de Walter Scott, il patientera le temps nécessaire.

Au bout d'une semaine, le bateau tant espéré entre lentement dans la rade. Mais l'attente n'est pas terminée pour autant, les matelots doivent encore procéder aux interminables manœuvres du chargement des cales. Dix jours encore à se morfondre avant le départ.

Le navire appareille enfin. Le cœur battant, Jules aborde l'Atlantique si souvent rêvé. Le visage fouetté par l'écume, il observe la haute mer et guette les nuages noirs qui annoncent le gros temps. Pipe à la bouche, affectant les manières d'un vieux loup de mer, il monte à la dunette, jette un coup d'œil à la boussole, consulte les cartes. Il s'essaie même à l'anglais avec le capitaine, un Écossais rougeaud, amateur de whisky et de fromage de Chester :

– *Good mourning, captain...*, lance-t-il.

Avec son déplorable accent, Jules vient de souhaiter un « bon deuil » à l'officier de bord et il s'étonne de le voir se renfrogner et fulminer quelques incompréhensibles jurons.

Quatre jours de traversée et voici Liverpool, ville industrieuse avec sa misère, ses rues fangeuses, ses groupes de marmots vêtus de haillons. Mais il n'est pas temps de s'attarder : l'Écosse les attend. L'efficace et rapide chemin de fer britannique remonte vers le nord, traverse la verte campagne du Lancashire et fait halte à Édimbourg dans la nuit.

Dès le matin, Jules et Aristide visitent la citadelle et saluent le monument à Walter Scott mais, surtout, ils recherchent éperdument la vieille geôle dans laquelle l'imagination du romancier écossais a enfermé l'héroïne de sa *Prison d'Édimbourg.* Avant le départ, Jules a relu soigneusement l'ouvrage afin de mémoriser l'emplacement du sinistre bâtiment. Les murs devraient s'élever ici, sous le rocher du château... Mais il n'y a rien d'autre qu'une banale ruelle et de paisibles boutiques. On cherche une piste, on interroge les passants. Dépités, les deux imaginatifs promeneurs apprennent qu'ils arrivent trop tard. La prison a été démolie depuis plus de quarante ans !

Pour se remettre de ce cruel désenchantement, ils parcourent consciencieusement la ville et les cottages alentour, s'enfoncent un peu dans des paysages au ciel bas, sillonnent des étendues abruptes battues par les vents et les pluies d'un glacial été écossais. Le moment est venu de partir pour Glasgow, ville bouillonnante, et puis voici Stirling où les voyageurs croisent des Highlanders en kilt, plaid sur les épaules. Walter Scott occupe toujours leurs pensées et, cette fois, c'est l'intrépide bandit Rob Roy qu'ils croient voir prendre forme et s'animer devant eux.

Le train les emporte ensuite jusqu'à Londres, en quinze heures d'une interminable expédition dans un wagon bondé d'une cohue bruyante. À peine arrivés, ils se précipitent dans un théâtre d'Oxford Street pour assister à une représentation de *Macbeth.* Jules ne comprend pas un mot d'anglais, mais il connaît assez la pièce pour en suivre les péripéties et repérer les passages généralement amputés sur les scènes parisiennes.

Le lendemain, escapade à Greenwich où l'on admire, immobile sur la Tamise, le *Léviathan,* le plus grand navire du monde : trente mille tonnes, six mâts, cinq cheminées, quatre roues à aube, une chaudière de mille chevaux, quatre mille passagers... Hélas, le bâtiment ne se visite pas et les deux insatiables touristes doivent se contenter de louer un canot pour ramer le long du monstre assoupi. Cette immense forme sombre et la puissance contenue dans ses flancs incarnent tout le progrès et le dynamisme de l'humanité.

Mais il faut se hâter. Après seulement une semaine passée en Grande-Bretagne – mais au total vingt-huit jours d'odyssée –, le rêve touche déjà à sa fin. Le bateau qui doit les ramener en France les attend à Newhaven.

Arrivé à Paris début septembre, Jules Verne consigne par écrit ses impressions de voyage et termine sa relation sur ces mots prémonitoires : « C'est donc maintenant, au retour, que leur excursion sérieuse commencera, car l'imagination sera désormais leur guide, et ils voyageront dans leurs souvenirs. » Il intitule ce texte d'abord *Voyage à reculons* (allusion à leur détour par Bordeaux) puis le rebaptise *Essai de voyage en Angleterre et en Écosse.* Ce n'est ni un journal tenu au quotidien ni un roman, mais un récit circonstancié des découvertes, des enthousiasmes, des déceptions et des naïvetés de l'auteur. Un manuscrit qu'il ne songe pas à publier et qu'il range dans ses tiroirs, témoignage palpable de son aventure britannique[1].

1. Le texte sera publié – en 1989 seulement – sous le titre *Voyage à reculons en Angleterre et en Écosse.*

Bien vite, Jules repart pour Nantes où son frère Paul, va convoler en justes noces à presque trente ans. Le fier marin qui avait naguère tout sacrifié pour la course infinie des grands espaces a renoncé à sa vocation deux ans auparavant, pour une fiancée éphémère. En effet, alors follement épris d'une avenante Bretonne, il lui avait proposé le mariage, elle avait accepté à la condition expresse que le prétendant délaissât à jamais la mer et ses dangers : elle n'avait aucune envie de passer sa vie à guetter le retour d'un mari constamment sur les flots et rêvait d'une existence plus sereine, débarrassée des anxieuses attentes sur le port. Pour l'amour de la belle, le soupirant était alors définitivement descendu de son bateau. Inutile sacrifice... L'inconstante avait rompu les fiançailles aussitôt la bague passée au doigt.

Paul se console en épousant une fille originaire de Blois, une certaine Berthe Meslier. La jeune femme apprécie moyennement le provincialisme nantais, elle voudrait s'en aller vivre à Paris, mais le nouveau marié juge avoir fait assez de concessions. Qu'on lui laisse au moins la vision revigorante des orgueilleux trois-mâts, les vents salés et les proches rivages de la mer !

Pour entretenir sa femme et sa future famille, Paul se résout à suivre les pas de son frère. Il décide de se consacrer aux opérations boursières. Ainsi se renforce l'analogie des deux destins, mais en image inversée. Paul devient le double positif de Jules. Le cadet, vrai marin et authentique agent de change, réalise les aspirations de l'aîné qui se contente souvent, lui, de rêver la mer et de se donner les apparences d'un financier.

À Paris, la vie reprend son cours. Chaque jour, Jules se rend à la Bourse après avoir écrit durant toute la matinée. Avec Michel Carré, il compose un nouveau livret pour la musique d'Aristide Hignard : *L'Auberge des Ardennes,* l'histoire tragi-comique d'un jeune couple d'aubergistes privé de lit la nuit même de ses noces par un voyageur imprévu... L'acte est joué le 1er septembre 1860 au Théâtre Lyrique sans que la face du monde n'en soit vraiment troublée.

Jules Verne comprend que sa collaboration avec Aristide Hignard mène à une impasse. Les petites opérettes qu'ils concoctent ensemble sombrent les unes après les autres. Le musicien aussi sent venu le moment de chercher le succès dans un autre registre. Les deux hommes restent liés par une profonde amitié, mais désormais ils travaillent séparément.

Aristide compose *Hamlet,* un opéra avec lequel il espère atteindre l'immortalité, Jules se lance avec Charles Wallut dans la construction d'une comédie ambitieuse en trois actes : *Onze Jours de siège.* Ces onze jours représentent le temps nécessaire à un mari pour reconquérir sa femme dont il s'avère, par une pirouette juridique, que le mariage est considéré comme nul par la loi...

Avec cette pièce galante et joyeuse, rédigée en prose, Jules Verne accède au Théâtre du Vaudeville, preuve patente de son changement d'orientation. La salle, malgré sa dénomination, est vouée en priorité aux textes à prétention littéraire des auteurs modernes. C'est là, par exemple, que Dumas fils a donné sa *Dame aux camélias,* c'est là que Victorien Sardou et

Émile Augier font jouer leurs meilleures œuvres. Le 1er juin 1861, la création de la comédie signée Verne et Wallut dans cette salle exigeante laisse espérer de prometteurs lendemains. Mais le succès n'est toujours pas au rendez-vous.

Déception vite oubliée : l'auteur a d'autres préoccupations. Dans quinze jours, il va repartir avec Aristide pour un nouveau périple offert par le frère Hignard, cette fois en direction de la Scandinavie. Jules n'a pas eu la force de rejeter l'offre et pourtant il devrait raisonnablement demeurer auprès d'Honorine : elle est enceinte de plus de sept mois et l'accouchement est prévu pour le début du mois d'août. Bah, il suffira de combiner subtilement les horaires et ne pas manquer les correspondances pour rentrer à temps et être présent au moment de la naissance du bébé.

Le futur père demande à son épouse d'attendre sagement son retour avant d'enfanter et, pour se montrer galant, il lui dédie un petit poème... En fait, comme elle n'a jamais lu ses œuvres, il lui est facile de recycler à la hâte un médiocre madrigal composé autrefois pour Herminie. Avec de légères corrections, et un peu de bonne volonté, les vers semblent destinés à la grossesse de Madame :

... Retenant ta fraîche haleine,
Crains-tu que je ne surprenne
Dans ton cœur quelque secret
Qu'il me dérobe avec peine ?...

Cela réglé, il s'en va avec son compagnon arpenter la Suède. Le paquebot remonte le canal de Stockholm à Christiana[1], quatre-vingt-dix-sept écluses à franchir en trois jours ! Puis c'est la traversée en carriole des plaines de Norvège...

Jules le sait, il n'est pas toujours facile de prévoir précisément les arrivées des bateaux et la durée des croisières. Finalement, tout cela s'éternise plus que de raison et, au bout de six semaines, redescendu en direction de Copenhague, il décide d'abandonner son compagnon. Il rentre en France tandis qu'Aristide recherche dans les ruines du château d'Elseneur les traces d'un prince danois nommé Hamlet.

Jules est à Paris le 8 août, juste à temps pour inscrire à la mairie le petit Michel né la nuit précédente. Les pleurs du bébé s'additionnent aux criailleries des fillettes, éloignant désormais un peu plus le père du foyer familial. Pour travailler dans le calme, il continue à se réfugier sur les bancs de bois de la Bibliothèque nationale lorsque ses recherches l'exigent, mais il préfère le Cercle de la presse scientifique, douillet salon où l'on peut consulter tout à loisir les revues savantes.

Dans ce club érudit, il fait la connaissance d'un homme d'une quarantaine d'années aux moustaches relevées en pointes et au regard illuminé, aussi volubile et exalté que Jules est taciturne. Cet énergumène surexcité s'appelle Félix Tournachon, mais il s'est fait connaître sous le sobriquet de Nadar. Photographe des grands de ce monde, caricaturiste, journaliste, il

1. Aujourd'hui Oslo.

se passionne aussi pour la prise de vue aérienne à bord d'aérostats.

D'ailleurs, depuis quatre ans, il a résolu bien des problèmes liés à cette technique particulière : un levier pivotant lui permet d'actionner avec rapidité le bouchon-obturateur de l'appareil, des plaques de verre sensibles sont capables de percer les brumes de l'altitude, les gaz sont lâchés de manière à éviter de brouiller les images. Grâce à ces perfectionnements, il est parvenu à d'étonnants résultats. De la nacelle d'un ballon captif, immobile au-dessus du bois de Boulogne, il a obtenu des clichés admirablement nets portant jusqu'à l'Arc de triomphe.

Mais Nadar n'est pas encore satisfait. Un problème fondamental reste à résoudre : le mouvement. Jusqu'à présent, les photographies n'ont été prises que du haut d'un point statique. Si l'on veut développer la méthode, l'utiliser pour la levée de plans topographiques ou le commandement d'une armée, il faut absolument parvenir à obtenir des images fixées à bord d'un aérostat capable de se déplacer. La grande question est là.

Dans la quiétude feutrée du Cercle de la presse scientifique, Nadar se lance dans un long monologue enflammé. Jules Verne écoute, envoûté. Un ballon, explique le photographe, s'élève lorsque l'enveloppe est remplie de gaz, descend quand ce gaz est lâché et remonte encore grâce au largage du lest. En manœuvrant dans les couches calmes de l'atmosphère, l'aérostat peut certes se stabiliser le temps de prendre quelques clichés rapides, mais ces courtes pauses ne permettent guère un travail satisfaisant. Si l'on veut disposer d'assez de temps pour réaliser des photographies parfaites, il s'avère nécessaire d'avoir à disposition de grandes quantités de gaz et d'importants stocks de lest. Pour obtenir ces conditions idéales, la seule solution réside dans la fabrication d'un immense ballon... Ce projet fou, Nadar le caresse depuis quelques années. L'engin envisagé aurait vingt-cinq mètres de diamètre, pèserait plus de sept tonnes et emporterait une dizaine de passagers. On pourrait même aménager la nacelle en cabines, avec lits, armoires, soutes à provisions et, bien sûr, laboratoire photographique.

Sur le plan purement technique, Jules Verne n'est guère convaincu. Il est persuadé que les divagations de Nadar sont théoriquement exactes mais ne pourraient s'appliquer que dans un hypothétique espace totalement dénué du moindre souffle d'air. En revanche, dans le pur domaine de l'imaginaire, ce soliloque autour d'un aérostat rappelle à l'écrivain son *Voyage en ballon* publié par le *Musée des familles* il y a plus de dix ans déjà... Mais le récit n'était que prétexte à un délire comique.

Depuis, Verne a découvert Edgar Poe traduit par Charles Baudelaire et le souvenir d'une nouvelle intitulée *Le Canard au ballon* entre en résonance avec les propos du photographe. Dans ce conte fantastique, l'Américain s'est éloigné du ton halluciné et morbide qui a souvent été le sien. Relatant une incroyable traversée qui mène les aérostiers du pays de Galles jusqu'à la côte de Caroline du Sud, il s'est même efforcé à une prétendue exactitude : « *[Le ballon]* est conçu dans de grandes proportions et contient plus de 40 000 pieds cubes de gaz ; mais, comme le gaz de houille a été employé préférablement à l'hydrogène, dont la trop grande force d'expansion a des inconvénients, la puissance de l'appareil, quand il est parfaitement gonflé et aussitôt après son gonflement, n'enlève pas plus de 2 500 livres environ. » Mais, très vite, le récit s'égare dans le surnaturel, transgressant allègrement les lois élémentaires de la physique et de la mécanique.

Face aux explications de Nadar, Jules Verne sent confusément qu'Edgar Poe a manqué quelque chose. Il aurait suffi d'un peu d'application pour donner à l'aventure un tour vraisemblable, il aurait suffi d'une touche scientifique pour conférer à ce *Canard* une puissance évocatrice infiniment supérieure.

Dans l'esprit de Jules Verne, la nouvelle de Poe, la rhétorique de Nadar, les récents voyages en Grande-Bretagne et en Scandinavie se mêlent et s'entrechoquent. De ce magma informe explose soudain une idée qui lui paraît lumineuse, évidente : combiner l'aventure, l'exploration et la science pour en faire un roman d'un genre nouveau, une littérature à la hauteur des développements techniques du XIXe siècle.

Cette fois, il est certain de tenir un projet grandiose. Après avoir tant tourné autour de thèmes où se confondaient géographie, progrès et aventures, après avoir jeté tant d'ébauches jamais parfaitement réussies, il est persuadé de posséder enfin l'idée qui lui apportera la fortune : le roman de la science.

À ses collègues de la Bourse, il ne parle plus que de cela, et chacun se gausse de cet insignifiant littérateur qui continue à poursuivre ses chimères. Jules laisse rire les moqueurs :

– Si mon roman réussit, ce sera un filon ouvert. Alors, je continuerai et je ferai des romans, tandis que vous achèterez des primes. J'ai quelque raison de croire que c'est moi qui gagnerai le plus d'argent !

Il choisit l'Afrique pour théâtre des opérations. Rapidement, il réunit une impressionnante pile de notes, d'ouvrages, et de coupures de presse, pioche dans tous les manuels possibles, s'informe sur le sort des dernières explorations, étudie méticuleusement les trajets des missions menées jusqu'au cœur de la brousse.

Inspiré et guidé par cette documentation, il fait monter ses héros dans la nacelle d'un ballon qui survole le continent noir, de Zanzibar jusqu'au fleuve Sénégal. Les anecdotes se succèdent : les explorateurs subissent les assauts d'immenses oiseaux, tentent de sauver un missionnaire, assistent à une guerre tribale, affrontent un nuage de sauterelles et, au passage, trouvent les sources du Nil, alors encore imprécisément connues... Mais au-delà de ces épisodes saisissants, l'auteur conçoit – à partir de la réalité existante – des progrès scientifiques et techniques susceptibles de rendre possible une telle entreprise.

Le ballon décrit par Verne s'élève dans l'atmosphère et redescend grâce à un ingénieux – et imaginaire – système de chauffage qui permet de séparer l'hydrogène et l'oxygène de l'eau. L'oxygène vient alors gonfler l'enveloppe et le ballon prend de l'altitude. Pour la manœuvre inverse, il suffit d'attendre le refroidissement de cette étonnante source d'énergie... Un docte charabia donne une tournure crédible à cette innovation : « Les gaz augmentent de 1/480 de leur volume par degré de chaleur. Si donc je force la température de dix-huit degrés, l'hydrogène de l'aérostat se dilatera de 18/480, ou de seize cent quatorze pieds cubes, il déplacera donc seize cent soixante-quatorze pieds cubes d'air de plus... »

Pour la première fois de sa vie, Jules Verne s'attaque à un véritable roman. Il ne s'agit plus d'un bref récit pour Pitre-Chevalier, l'auteur prend maintenant le temps de déployer une campagne scientifique dans toute son ampleur et dans tous ses détails.

Chez lui plongé dans son manuscrit, à la Bibliothèque nationale enfoui sous les rapports d'expéditions coloniales, au Cercle de la presse scientifique perdu dans les articles techniques, il ne pense qu'à son sujet et ne vit que par ses personnages. Ce voyage périlleux dans le ciel africain, il le vit par la pensée. Pour lui, le réel n'a plus aucune consistance. Jules n'est plus là, il est quelque part égaré au-dessus du lac Tchad... Honorine croit devenir folle ! Son mari paraît s'être retiré du monde et n'exister qu'à travers ses illusions.

– Il est toujours dans son ballon ! se plaint-elle.

Elle écrit à sa belle-mère : « Que de papiers ! Que de papiers ! Pourvu qu'ils ne finissent pas tous sous la marmite ! »

Même lorsque Jules consent à descendre de sa nacelle fictive, c'est encore pour parler des splendeurs entrevues en survolant l'Afrique, des terribles dangers auxquels il a échappé, des stupéfiantes découvertes qu'il a faites. Tout cela n'a aucun sens. Il ferait mieux de s'intéresser à sa famille et de se tourmenter un peu pour les investissements de ses clients.

Après plusieurs mois de ce régime, Jules Verne émerge de son merveilleux mirage. Il tient à la main un manuscrit dont le titre barre la première page : *Voyage en l'air*. Soulagée, Honorine ne peut s'empêcher de pousser un cri de victoire :

– Enfin, il en a fini avec son ballon !

VI

À LA RENCONTRE DU PÈRE IDÉAL

Manuscrit sous le bras, Jules Verne fait le tour des amis et leur soumet le texte de son *Voyage en l'air.* Tous promettent la plus belle destinée à ces fantaisies africaines : le photographe Nadar, le compositeur Hignard, le financier Maisonneuve applaudissent et congratulent l'auteur. Mais ce ne sont pas là des jugements de littérateurs, juste quelques encouragements affectueux.

Parmi ses connaissances, une seule, pense Jules, est capable de donner un verdict irrévocable et fondé : Alexandre Dumas fils. Depuis leur pièce *Les Pailles rompues,* voilà déjà douze ans, les deux hommes de lettres ont entretenu une relation paresseuse et épisodique, se croisant de loin en loin dans les salons ou les foyers des théâtres. Pour le dramaturge devenu romancier, le moment est venu de renouer un lien distendu. Il sollicite le célèbre écrivain et lui remet son précieux travail.

Dumas fils flaire tout de suite l'exceptionnelle originalité du texte qu'il a sous les yeux, mais il a quelque peine à se faire une opinion définitive... Il est totalement dérouté par un style, un thème, un climat à mille lieues des siens. Lui qui se plaît dans la description des vices et des tares d'une société bien réelle ne sait comment réagir face à cette extraordinaire élucubration. Est-ce une littérature pour enfants curieux ? Est-ce un conte pour adultes rêveurs ? Il demande conseil à son ami l'écrivain Alfred de Bréhat, auteur d'ouvrages pour la jeunesse et grand voyageur revenu des Indes et des Amériques.

À la lecture du *Voyage en l'air,* Bréhat est ébloui. Car lui connaît les difficultés et les pièges des récits d'exploration, lui sait combien il est ardu de bâtir une aventure exotique. Et là, devant cette tentative mêlant habilement le vrai et le faux, appuyant les plus délirantes inventions sur la plus absolue rigueur géographique et une solide connaissance technique, Bréhat perçoit immédiatement les brillantes qualités d'un ouvrage dont chaque page se révèle foisonnante, captivante, fantasque. Il ne peut mieux faire que d'adresser le roman à Hetzel, son propre éditeur.

À l'âge de quarante-huit ans, Pierre-Jules Hetzel entame une seconde carrière. Jadis, il a publié des auteurs entrés au panthéon littéraire et peut aligner un fier catalogue : Stendhal, Honoré de Balzac, Alfred de Musset, George Sand... En même temps, il a poursuivi, sous le pseudonyme de Stahl, une activité prolifique d'auteur. Traductions, récits pour enfants, romans de mœurs, études littéraires, rien n'a échappé à sa plume sagace. Au moment de la révolution de 1848, ardent républicain, il s'est engagé dans les luttes pour la liberté, et son action politique lui a valu d'être nommé chef de cabinet d'Alphonse de Lamartine, alors ministre des Affaires étrangères.

Toute cette activité a été réduite à néant par l'exil. Le 2 décembre 1852, après le coup d'État fomenté par Louis-Napoléon, Hetzel a dû fuir vers la Belgique, menacé d'arrestation comme tous les opposants au nouveau régime. À Bruxelles, dans le petit monde des proscrits du Second Empire, il s'est occupé de la publication des œuvres polémiques de son ami Victor Hugo, assurant l'édition et la diffusion de *Napoléon le Petit* et des *Châtiments,* violents pamphlets dirigés contre le pouvoir établi à Paris.

En juillet 1859, Napoléon III, assuré de la stabilité de son règne, a pu se permettre de faire preuve de magnanimité : par décret, tous les condamnés politiques ont été amnistiés. Hetzel, libéré de la menace d'emprisonnement qui planait sur lui, a pu rentrer à Paris où il s'est immédiatement attaché à reconstruire sa maison d'édition. Dès lors, il a publié des ouvrages très différents, témoignant d'un bel éclectisme : les essais socialistes de Joseph Proudhon, les contes de Perrault illustrés par Gustave Doré, les romans d'Erckmann-Chatrian et, sous le nom de Stahl, un recueil de ses propres nouvelles, *Les Bonnes Fortunes parisiennes,* lignes ciselées dans un style plaisant et délicat.

Depuis son retour en France, voilà bientôt trois ans, Pierre-Jules Hetzel cherche à développer une collection d'ouvrages pour la jeunesse, un marché en pleine expansion. Une littérature de bon ton, dénuée de la corruption et de la dépravation qui entache trop souvent les lettres françaises, devrait rassurer les parents et trouver un écho auprès des enfants. Il a même élaboré le projet d'un journal spécialisé, une revue d'enseignements et de divertissements qui offrirait à ses lecteurs à la fois la découverte des contrées inconnues du bout du monde et l'explication des prodiges de la science en mutation.

Au cœur de l'étouffante chaleur de cette fin d'été 1862, Jules Verne traverse un Paris écrasé de soleil, suffoquant sous son costume noir de remisier. Anxieux, fébrile, il franchit le porche du 18, rue Jacob. Là, dans cette maison aux murs vétustes, un peu de guingois, égayés par un petit jardin, l'éditeur a établi à la fois son domicile, ses bureaux et sa librairie. Jules transpire, et il frissonne : il a l'impression que son destin va se jouer en quelques instants. Et s'il essuyait un refus ? S'il s'était leurré lui-même sur ses aptitudes littéraires ? Si tout son acharnement n'avait engendré qu'une divagation stérile ?

Hetzel reçoit aimablement le visiteur, sans empressement excessif toutefois. Il n'est pas l'homme des engouements rapides et des dithyrambes hyperboliques. Il a lu attentivement le *Voyage en l'air*, le texte est pittoresque, publiable peut-être... mais avec de nombreux remaniements. Dans la marge, l'éditeur a noté ses remarques. Tel passage est à reconstruire, telle digression est à supprimer, tel personnage manque d'épaisseur, telle description est confuse... Hetzel commente et motive ses impressions, il justifie clairement chacun de ses avis, sans paroles inutiles, avec la précision d'un scalpel. Et puis, d'un geste, il tend le manuscrit à son interlocuteur silencieux :

– Tenez, mon ami, portez-y les retouches indiquées et revenez me voir.

Pour Jules Verne, la rencontre est décisive. Il vient de se découvrir un maître, un formateur. Chaque mot prononcé par Hetzel, chaque remarque, chaque critique résonne en lui comme les leçons d'un père. L'éditeur a treize ans de plus que l'auteur, son expérience, son vécu, ses opinions tranchées et toujours argumentées en font un guide exceptionnel. Jules saisit soudain qu'il attendait depuis longtemps ce conseiller attentif, cet arbitre vigilant. Son père n'est qu'un père, un géniteur de nature, imposé et non choisi. Avec Pierre-Jules Hetzel, Jules s'invente une ascendance. Il s'offre au jugement d'un père élu. D'ailleurs, au physique, l'éditeur parisien ressemble bien plus au blond Breton que l'avoué nantais. C'est vrai, il en est le double sombre. Même barbe, quoique plus noire, mêmes cheveux rebelles, mais plus foncés, même regard méditatif, en plus ténébreux.

De retour chez lui, l'auteur s'immerge à nouveau dans ses papiers. Il suit aveuglément les consignes griffonnées sur les feuillets. Sans vanité aucune, parfaitement docile, il se plie aux exigences de son impitoyable correcteur : ce que pense Hetzel est bien pensé. Jules Verne n'a aucune raison de s'opposer à des directives qui le stimulent et il a tôt fait d'apporter au texte les modifications demandées.

Le manuscrit définitif en main, l'éditeur coupe encore quelques longueurs... Mais ce n'est pas tout. Le style et l'histoire sont importants, bien sûr, reste pourtant le message véhiculé auprès de la jeunesse... Jules Verne n'a pas l'âme doctrinaire, mais Hetzel – qui demeure un quarante-huitard farouche – ne peut envisager un ouvrage totalement dépourvu d'une petite dose humaniste. Par touches légères, il se permet de glisser ici et là quelques réflexions subversives. Lorque les explorateurs apprennent que, dans certaines régions du sud de l'Afrique, les criminels sont enfermés dans leur propre hutte avec bestiaux et famille pour être livrés aux flammes, l'un des voyageurs aura cette réflexion désabusée :

– Si la potence est moins cruelle, elle est aussi barbare.

Plus loin, quand les aérostiers assistent à la violence inouïe d'une guerre tribale, l'homme porteur des idées généreuses de 1848 souffle à l'auteur cette pensée amère : « Si les grands capitaines pouvaient dominer ainsi le théâtre de leurs exploits, ils finiraient peut-être par perdre le goût du sang et des conquêtes. »

À présent, un contrat peut être signé entre les deux hommes. Le tirage prévu est de deux mille exemplaires, l'auteur touchera cinq cents francs pour cette première édition, soit vingt-cinq centimes par bouquin vendu ; en outre, pour stimuler les ventes, l'éditeur s'engage à dépenser sept cents francs d'annonces dans les journaux. Sans être mirifiques, les conditions faites au débutant sont honorables : si Victor Hugo peut se permettre de réclamer quatre mille francs par volume, Théophile Gautier n'obtient encore pas plus de trois cents francs pour chacune de ses œuvres.

Reste un dernier problème à régler, celui du titre. *Voyage en l'air* ne convient pas, il sonne mal, trop mou, trop plat. Verne n'en voit pas d'autre. Finalement, Hetzel décide seul. Il barre d'un grand trait la page de garde du manuscrit et trace ces mots : *Cinq Semaines en ballon*.

Le livre paraît au mois de janvier 1863. L'intérêt du public pour la navigation aérienne concourt à son succès immédiat. Dès février, *Le Figaro* s'enthousiasme : « Charmant comme un roman et instructif comme un livre de science. Jamais on n'avait mieux résumé toutes les découvertes sérieuses des voyageurs les plus célèbres. Le récit est palpitant, saisissant, il est gai et touchant. » Quelques jours plus tard, *Le Moniteur universel* décrète : « Amusant et écrit avec esprit. » Deux semaines encore et c'est *La Presse* qui acclame bruyamment le nouvel auteur : « Ce livre restera le plus curieux et le plus utile des voyages imaginaires, comme un de ces rares livres qui méritent la fortune des Robinson et des Gulliver, et qui ont sur eux l'avantage de ne pas sortir un instant de la réalité, de s'appuyer, dans la fantaisie et dans l'invention, sur les faits, sur la science positive et irrécusable. Nous signalons ce livre à tout le monde, à ceux qui sont savants et à ceux qui ne le sont pas. »

Le 4 octobre suivant, l'envol du *Géant,* le colossal ballon de Nadar, relance encore l'attention des foules sur les objets volants. Moment exceptionnel et historique : le Champ-de-Mars est envahi d'une multitude impressionnante. Les plus curieux payent un franc pour acheter le droit d'approcher l'engin ; plus loin, deux cent mille Parisiens se pressent sur la colline de Chaillot, sur les berges de Passy, sur les ponts de la Seine.

Autour de l'imposante forme ronde qui culmine à quarante-cinq mètres de haut, le Champ-de-Mars pavoise : fleurs, guirlandes, fanfare contribuent à la fête. La nacelle emportera cent litres d'eau, cent litres de vin, trente kilos de pain, des conserves, du bœuf rôti, du champagne, des liqueurs... De quoi festoyer dans les airs pour les treize passagers. Treize ! Nadar a tenu à ce chiffre, histoire de faire la nique aux superstitieux. Ce petit groupe disparate est composé d'amis, de scientifiques, de quelques aristocrates et d'un journaliste. Jules Verne aurait pu être du voyage. Invité par Nadar à prendre place à bord, il a pourtant décliné l'offre. Il n'a aucune envie de se risquer dans cette folle équipée et ne tient pas à courir dans la réalité les dangers qu'ont affrontés ses personnages romanesques. L'aventure par la plume lui suffit amplement. Il se contente d'assister à l'envol, simple quidam égaré dans la bousculade.

Enfin vient le moment tant attendu et tant redouté :

– Lâchez tout, crie Nadar.

Les amarres sont coupées. La musique éclate. Le *Géant* s'élève lentement dans les airs. Les spectateurs applaudissent et hurlent de joie. Le ballon n'en finit pas de monter. De la terre, on observe ce grand corps sphérique qui s'éloigne, on fixe ce point de plus en plus petit, et on commente l'événement : Jusqu'où ira l'aérostat ? Jusqu'en Afrique peut-être...

En fait, l'expérience s'achève pitoyablement après seulement cinq heures de vol. Le ballon poussé par un vent léger vient se poser avec paresse près de Meaux, après voir épuisé son gaz et son lest. Les railleurs ont la partie belle. Nadar et son *Géant* sont la risée du Tout-Paris. Pour effacer cette détestable impression, un second vol est tenté quinze jours plus tard, l'aérostat file jusqu'au royaume de Hanovre mais s'écrase en bout de course, blessant ses occupants.

Nadar se remet vite de ses fâcheuses déconvenues. De toute façon, pour lui, l'avenir des expéditions aériennes ne se trouve pas dans ces fragiles enveloppes gonflées de gaz mais dans les appareils plus lourds que l'air. Il est un partisan exalté de l'hélice qui devrait être capable d'arracher un aéroplane à la pesanteur et l'entraîner vers le ciel. Toujours obstiné dans ses entreprises, il fonde une « Société d'encouragement pour la locomotion aérienne au moyen d'appareils plus lourds que l'air » et en nomme Jules Verne censeur.

Officiellement, l'auteur de *Cinq Semaines en ballon* est chargé du contrôle des comptes de l'association, mais il se fait surtout le propagandiste opiniâtre et convaincu de la navigation aérienne. Comme Nadar, Jules Verne doute de la possibilité d'améliorer les aérostats mais croit fermement au développement des engins lourds mus par une source d'énergie autonome. En décembre 1863, il publie dans le *Musée des familles* un long texte dont le *Géant* de Nadar est le prétexte mais qui fait l'apologie de l'hélicoptère : « Vous connaissez ces jouets d'enfants faits de palettes auxquelles on communique une vive rotation au moyen d'une corde rapidement déroulée ; l'objet s'envole et plane dans l'air tant que l'hélice conserve son mouvement giratoire ; si ce mouvement continuait, l'appareil ne retomberait pas ; imaginez un ressort qui agisse incessamment et le jouet se maintiendra. »

Avec Nadar, Jules Verne a assisté aux expériences du vicomte Ponton d'Amécourt. Cet original richissime a construit des maquettes munies de deux hélices superposées et d'une troisième placée verticalement permettant de stabiliser et de diriger le modèle réduit. « Un ressort bandé, lâché tout à coup, s'enlevait avec l'hélice », témoigne Verne. Reste encore à surmonter le difficile problème de l'énergie capable de faire tournoyer les pales. Des tentatives ont été faites avec des systèmes à air comprimé et des machines à vapeur, mais sans résultat probant jusque-là. Attentif à toutes les innovations, l'auteur sait que, dans un atelier parisien, l'ingénieur belge Étienne Lenoir perfectionne un moteur à deux temps alimenté par un mélange de gaz d'éclairage avec allumage électrique qui pourrait, dans l'avenir, donner la solution à bien des problèmes mécaniques.

Si Jules Verne n'est pas réellement un scientifique, il reste fasciné par les inventions audacieuses et fait sienne cette sentence de Nadar : « Tout ce qui est possible se fera. » Il laisse à d'autres le soin de perfectionner les grands principes mécaniques qui aboutiront à la conquête de l'air, lui se contente d'imaginer le progrès, se projetant dans un monde prodigieux où des machines de toutes sortes ont déjà envahi le quotidien.

Il écrit alors un roman d'anticipation, *Paris au XXe siècle,* dans lequel la capitale a pris un aspect inattendu : « Qu'eût dit un de nos ancêtres à voir ces boulevards illuminés avec un éclat comparable à celui du soleil, ces mille voitures circulant sans bruit sur le sourd bitume des rues, ces magasins riches comme des palais, d'où la lumière se répandait en blanches irradiations, ces voies de communication larges comme des places, ces places vastes comme des plaines, ces hôtels immenses dans lesquels se logeaient somptueusement vingt mille voyageurs, ces viaducs si légers ; ces longues galeries élégantes, ces ponts lancés d'une rue à l'autre, et enfin ces trains éclatants qui semblaient sillonner les airs avec une fantastique rapidité. »

Mais Jules doit momentanément abandonner ses visions futuristes. Hetzel a d'autres projets. Il s'apprête à lancer le *Magasin d'éducation et de récréation,* bimensuel pour la jeunesse regroupant, sous une présentation moderne et illustrée, des récits romancés et des textes à visées pédagogiques. L'éditeur – sous le pseudonyme de Stahl – se charge de la partie récréative tandis que la rubrique éducative est confiée à Jean Macé, enseignant et auteur maison avec un livre à succès destiné aux petits : *Histoire d'une bouchée de pain.* À Jules Verne est confié le soin de concocter une aventure géographique à la manière du *Ballon.* L'auteur voudrait bien s'échapper vers d'autres univers, mais Hetzel l'oblige à poursuivre dans une voie qui lui a si bien réussi :

– Mon enfant, croyez-en mon expérience. N'éparpillez pas vos forces. Vous venez sinon de fonder un genre, tout au moins de renouveler d'une façon piquante un genre qui paraissait épuisé. Labourez ce sillon que le hasard ou votre génie naturel vous a fait découvrir. Vous y ramasserez beaucoup d'argent et de gloire, à condition de ne pas vous égarer dans les chemins de traverse[1].

Dans la campagne d'Auteuil, au 39, rue de La Fontaine où la famille Verne a maintenant transporté ses

1. Propos rapportés par Jules Verne au journaliste Adolphe Brisson qui publia une interview de l'auteur dans *La Revue illustrée* du 1er décembre 1898.

pénates, Jules obtempère et imagine une aventure d'exploration au pôle Nord. Le capitaine anglais John Hatteras découvre une étrange île volcanique, mais l'hostilité de la nature et la rigueur des étendues glacées lui font perdre la raison... L'auteur, tout à son bonheur d'écrire, accompagne les vicissitudes d'Hatteras, la banlieue parisienne n'existe plus, il est égaré par 80 degrés de latitude et 40 degrés au-dessous de zéro, il grelotte, il a froid en parcourant les plaines gelées...

Et ce ne sont pas seulement les horizons enneigés qui le préoccupent, mais également la construction des phrases, la pénible élaboration du style. Son ambition est d'apparaître comme un véritable écrivain et non comme un aimable amuseur pour bambins désœuvrés. Il avoue : « Je cherche à devenir un styliste, mais sérieux ; c'est l'idée de toute ma vie » et quand Hetzel, à la lecture des premières pages, le rassure et lui atteste que son écriture s'améliore, il n'ose y croire : « Rien ne m'a donc fait plus plaisir qu'une telle approbation venant de vous. Je vous l'avoue rien ne pouvait plus me toucher ; mais dans un coin de ma caboche, comme vous dites, je me demande si vous n'avez pas voulu me dorer la pilule. » Cette pilule, c'est la constante surveillance menée par l'éditeur sur le roman. Hetzel impose ses idées et remanie sans cesse le déroulement des aventures. Pourtant, l'écrivain se rebiffe parfois. Hetzel voudrait voir grimper quelques Français sur le bateau du capitaine Hatteras... Non, répond, l'auteur, il ne faut que des Anglais. Mais souvent, il faut céder aux exigences du patron. Verne imaginerait bien son héros s'engloutir dans le cratère du volcan de son île inconnue, seul tombeau digne de lui... Hetzel ne veut pas de cette fin mélodramatique et il oblige Verne à ramener le capitaine en Angleterre. Et, en fin de parcours, le manuscrit est confié à Jules Hetzel fils, jeune homme de dix-sept ans, qui donne son avis sur cette littérature destinée à la jeunesse.

Un nouveau contrat est établi le 1er janvier 1864. Cette fois, Jules Verne n'est plus l'écrivain occasionnel d'un livre unique mais le romancier prometteur qui s'apprête à fournir à l'éditeur et à son magazine toute une suite de récits. Les *Voyages et aventures du capitaine Hatteras* sont payés trois mille francs et, de plus, la somme de trois cents francs par mois est assurée à l'auteur « qui s'oblige à livrer à M. Hetzel un minimum de deux volumes par an ». Même si le terme « volume » ne signifie pas « roman » (*Hatteras,* par exemple, représente deux volumes), Jules Verne accepte d'assurer une intensive production littéraire, trop heureux de pouvoir bénéficier d'une rétribution modeste mais régulière qui le met à l'abri des aléas de la Bourse.

S'il se rend encore quelquefois chez l'agent de change Eggly, s'appliquant à faire fructifier la fortune de ses derniers clients, il a une fois pour toutes déserté le palais Brongniart, à son grand soulagement. Il peut enfin consacrer le plus clair de son temps à l'écriture et même la soucieuse Honorine, calculant le fructueux apport des contrats, finit par accepter l'idée d'avoir un homme de lettres pour mari.

À peine sorti des régions arctiques explorées avec le capitaine Hatteras, Jules termine à la hâte son *Paris au XXe siècle* et en adresse une première mouture à l'éditeur. Hetzel est consterné. L'ouvrage bâclé est une suite de scènes mal reliées entre elles qui permettent seulement à Jules Verne de déployer ses terrifiantes et neurasthéniques visions du futur. Le Paris de 1960 proposé par l'auteur abrite une société de froids techniciens où l'art et la littérature ont disparu. Aucune chaleur, aucun amour, aucun espoir dans ce monde inhumain.

Il n'est pas question de publier un texte aussi lamentable, ce serait une catastrophe pour la gloire naissante de l'écrivain. Heureusement, Hetzel qui a lu *Hatteras* sait que *Paris au XXe siècle* n'est qu'un accident, le fourvoiement d'un créateur qui se cherche encore. Sévère, intransigeant, il ne cache pas sa déception : « C'est à cent pieds au-dessous de *Cinq Semaines en ballon*... C'est du petit roman et sur un sujet qui n'est pas heureux... Il n'y a pas là une seule question d'avenir sérieux résolue, pas une critique qui ne ressemble à une charge déjà faite et refaite... Vous n'êtes pas mûr pour ce livre-là, vous le referez dans vingt ans... C'est raté, raté... Vous êtes dans le médiocre là, jusqu'aux cheveux. Il n'y a pas de vraie originalité, il n'y a pas de simplicité, il n'y a pas d'esprit, il n'y a pas en un mot ce qui peut faire une carrière de six mois à un livre. Il n'y a que de quoi vous faire un tort irréparable... Ai-je raison, mon cher enfant, de vous traiter en fils, cruellement, à force de vouloir ce qui est bon pour vous ? »

Le « fils » accepte les décrets du « père ». Il range son manuscrit au fond d'un tiroir, bien décidé à n'en plus jamais parler, à laisser l'oubli étendre son linceul sur ces pages si mal accueillies[1].

Le 20 mars 1864, le premier numéro du *Magasin d'éducation et de récréation* est inséré comme supplément gratuit dans le quotidien *Le Temps*. « Il s'agit pour nous de constituer un enseignement de famille, dans le vrai sens du mot, un enseignement sérieux et attrayant à la fois, qui plaise aux parents et profite aux enfants », écrit Hetzel en avertissement. Sur la première page, s'étale un épisode des *Anglais au pôle Nord* de Jules Verne – première partie des aventures du capitaine Hatteras. Dans les pages intérieures, on découvre un texte de Jean Macé, un récit de Stahl, de *Petites Tragédies enfantines* signées « un papa » et le début du *Robinson suisse* d'après Johann Wyss. Dès ce premier numéro, Jules Verne apparaît bien comme le noyau de la rédaction autour duquel se construit toute la stratégie éditoriale de la revue. Stratégie habile et payante : au bout d'une année seulement, le journal, bénéficiant du succès des œuvres de Verne, pourra quitter l'abri du *Temps* et s'imposer comme un périodique indépendant à soixante centimes le numéro.

Déjà, Jules Verne est attelé à un nouveau voyage. Cette fois il conduit ses héros jusqu'au centre de la terre... Il veut bien se consacrer aux voyages extraordinaires, puisque c'est le thème imposé par Hetzel,

1. *Paris au XXe siècle* ne réapparut qu'en 1989. Cette année-là, Jean Verne, arrière-petit-fils de l'écrivain, fit sauter la serrure d'un vieux coffre-fort familial que tout le monde croyait vide. Il contenait ce manuscrit qui fut publié en 1994.

mais il mène ses personnages où bon lui semble. Même dans l'irréel d'un monde symbolique enfoui sous nos pieds. Le jeune Axel devra quitter Hambourg et l'amour de la blonde Graüben pour suivre son oncle le professeur Lidenbrock dans une épopée souterraine. Pour le vieil enseignant, tout est prétexte à leçons et à conférences *ex cathedra,* même s'il est affecté d'une étonnante infirmité : il lui est impossible de prononcer les mots savants sans bégayer !

L'éditeur accepte ces extravagances dans la mesure où, sous une forme ou sous une autre, le programme assigné à l'auteur est rempli. Programme ainsi exposé aux lecteurs : « Résumer toutes les connaissances géographiques, géologiques, physiques, astronomiques amassées par la science moderne et refaire, sous forme attrayante et pittoresque, l'histoire de l'univers. » Rien moins.

Devant un aussi vaste dessein, l'auteur est parfois saisi de vertige et il a besoin de prendre le large. L'été 1864, il se rend à Nantes pour embrasser ses parents. L'auteur est accueilli chez lui comme une célébrité. À Chantenay, un bal de plein air est organisé en l'honneur de l'illustre romancier, mais celui-ci refuse d'y apparaître. Il supporte mal toute cette effervescence autour de son nom et apprivoise avec difficulté sa réussite soudaine. Devant la famille, les voisins et les amis réunis pour le fêter, il se cache, le visage déformé par une nouvelle crise de paralysie faciale. Isolé dans la maison paternelle, dans le silence des vignes inondées de soleil, il termine son *Voyage au centre de la Terre.* Un raseur vient-il le dénicher dans sa tanière ? Il surgit alors comme un monstre hirsute à la figure tordue, ronchonnant quelques paroles définitives pour se renfermer bien vite dans son monde imaginaire.

Il trouve plus de calme au Crotoy, dans la baie de Somme, où il emmène Honorine et les enfants finir l'été. Et pendant qu'il continue à noircir du papier, les deux fillettes et le petit Michel, conduits par Honorine, affrontent les vents vivifiants et les embruns salés. Jules aime cette nature sauvage, ces dunes tourmentées, ces oiseaux blancs tournoyant au-dessus des vagues.

Mais ces escapades estivales et familiales ne lui suffisent pas. En toute saison, il lui arrive de s'échapper seul vers quelque rivage. L'amour l'attend. À trente-six ans, disposant pour la première fois d'un peu d'argent, Jules n'est pas disposé à s'enfermer à jamais entre sa femme et les marmots, comme un éternel forçat de la page blanche et de la vie domestique. Alors, il s'accorde de courtes pauses et vogue vers la Bretagne. Près des flots écumeux, il retrouve en catimini Estelle Duchesne, une jeune femme mariée qui s'ennuie à Asnières. Et là, durant quelques jours, Jules vit la passion partagée, la douceur des âmes en harmonie et l'oubli de la vie insipide qu'il s'est construite.

Mais vient irrémédiablement l'heure du retour à Paris. C'est l'époque où le littérateur et critique Jules Claretie, futur administrateur de la Comédie-Française, futur académicien, peut brosser de l'auteur ce bref portrait : « Parisien jusqu'aux ongles par l'esprit cosmopolite, par l'imagination ; gai causeur, inventeur inépuisable, boulevardier et solitaire. »

Autour d'Hetzel et de Verne se réunissent régulièrement l'écrivain Charles Wallut, le librettiste Philippe Gille, les musiciens Victor Massé, Léo Delibes et Aristide Hignard. On y voit aussi, à l'occasion, les amis et les auteurs de Pierre-Jules Hetzel : George Sand, lourde silhouette vieillie surmontée d'une chevelure de lionne, le pédagogue Jean Macé avec sa longue barbiche coupée en pointe, le géographe Élisée Reclus, voyageur au regard lumineux, l'architecte Viollet-le-Duc, élégant et volubile, l'astronome Camille Flammarion, débraillé et passionnant.

Dans ces brillantes réceptions se fondent et se confondent des univers dissemblables, celui des arts, celui des contrées lointaines, celui du firmament étincelant. Et ces sociétés destinées à ne jamais se rencontrer se donnent rendez-vous ici comme pour offrir à l'amphitryon des sources d'inspiration toujours renouvelées. Mais celui-ci n'a d'yeux que pour Estelle, charmante et à l'aise dans ces raouts mondains, si belle, si vivante face à ces barbons érudits. Honorine, qui n'ignore rien des tendres liens qui unissent son époux à la dame, ferme les yeux et tolère sa rivale. Elle le sait : un jour Jules se lassera de ses fredaines. Lorsque sera venu le temps des passions éteintes, c'est vers elle qu'il cherchera l'apaisement.

Tard dans la soirée, les invités se dispersent. Dès demain Jules Verne se remettra à la tâche. La plume, l'encrier et la rame de papier blanc l'attendent. Le contrat qui le lie à l'éditeur l'oblige à une production intensive, à une imagination toujours en éveil. Pour mener à bien ce labeur écrasant, tout un système se met en place. Sur le plan scientifique, l'écrivain met à contribution ses proches. Le cousin Henri Garcet, professeur de mathématiques, est chargé de revoir les calculs élaborés par les héros verniens. C'est lui qui traduit en chiffres la balistique du trajet cosmique pour un nouveau roman : *De la Terre à la Lune.* Quant au frère Paul, il reçoit les manuscrits à Nantes et contrôle d'un œil exigeant toutes les allusions à l'univers maritime, surveillant la justesse des manœuvres opérées par les navires, l'exactitude des termes techniques employés et la vraisemblance des coordonnées de longitude et de latitude avancées dans *Hatteras* et bientôt dans *Les Enfants du capitaine Grant.* Incidemment, même le père peut être sollicité pour donner son avis ou fournir une précision recherchée. En plus, toute une cohorte d'anonymes, appointés par l'éditeur, sont chargés de fournir l'indispensable documentation. Finies les heures épuisantes et interminables à la Bibliothèque nationale... Hetzel, qui sait toujours très exactement ce que prépare son auteur et sur quel point du globe se trouvent ses personnages, fournit à temps les précieuses informations qui seront judicieusement parsemées dans le récit.

Pour respecter son pacte, Jules Verne fournit de la copie. Désormais, son obsession est de prendre de l'avance sur ses obligations contractuelles. Il écrit tant et avec une telle impétuosité qu'il a des volumes prêts pour les deux ou trois années à venir... Avec quelle fierté insiste-t-il, devant chacun de ses visiteurs, sur les ouvrages déjà achevés et qui ne paraîtront que bien plus tard !

Dans les pages du *Magasin d'éducation et de récréation,* le capitaine Hatteras poursuit sa carrière durant un an et demi, jusqu'en décembre 1865, et pendant ce temps-là, les éditions Hetzel publient le *Voyage au centre de la Terre* et *De la Terre à la Lune,* alors que déjà se termine la rédaction des *Enfants du capitaine Grant*... Il a emmené deux enfants, Mary et Robert Grant, dans un périple maritime autour du monde à la recherche du capitaine disparu. Voyage initiatique où le fils ne retrouve le père qu'au moment où, forgé par les épreuves, il quitte l'âge tendre et devient adulte.

Jules Verne accumule les romans. Tout se passe comme si une folle course contre la montre était engagée. Verne veut exploiter une veine dont il craint un épuisement rapide. Hetzel redoute la fuite de son auteur-vedette vers un éditeur concurrent. Déjà, son roman d'anticipation vers la Lune, sous forme de feuilleton, n'a pas profité au *Magasin d'éducation et de récréation* mais a comblé les lecteurs du *Journal des débats.* Après quelques livres seulement et une gloire à peine esquissée, l'écrivain semble prendre une assurance et une indépendance inquiétantes. Il est temps de lui faire signer un nouveau contrat.

Le 11 décembre 1865, les mensualités versées à Jules Verne sont portées à sept cent cinquante francs[1]. En contrepartie, celui-ci s'engage à fournir maintenant trois volumes par an « faits pour le même public et de la même étendue ». Par ailleurs, pour un prix forfaitaire de cinq mille francs, tous les titres publiés jusque-là appartiennent désormais à l'éditeur.

---

1. À titre de comparaison, un ouvrier gagne alors annuellement 700 francs et un conseiller d'État 25 000. Quant à Alexandre Dumas père, il avait signé avec le quotidien *Le Siècle* un contrat qui lui assurait 64 000 francs par an pour cent mille lignes fournies.

Quant aux collections illustrées, « il est dit que M. Hetzel en aura la propriété absolue et sans limite ». Jules signe, trop heureux d'obtenir une petite augmentation de son revenu régulier.

L'éditeur a parfaitement tendu ses filets : projetant déjà de diffuser les romans sous forme d'ouvrages enrichis de gravures, il s'en est, par avance, réservé tous les bénéfices. Cet escamotage habile, cette petite clause glissée dans les articles de l'accord, permettront à l'éditeur de percevoir des sommes huit fois plus importantes que celles touchées par l'auteur sur toute la série des *Voyages extraordinaires*[1]. Le bon père attentif sait aussi préserver ses intérêts et dévorer ses enfants.

Ce même mois de décembre, un terrible malheur vient frapper Jules Verne : Estelle, sa passion secrète, son refuge clandestin, meurt à l'âge de vingt-neuf ans. Douleur d'autant plus cruelle qu'elle ne peut être exprimée par l'amant malheureux. À présent, l'agitation de la vie parisienne, ses salons mondains et ses réunions d'artistes font horreur au célèbre écrivain. Il se rend compte brusquement qu'il supportait Paris quand Estelle l'égayait pour lui de sa présence discrète et rayonnante. Désormais, privé de son amour caché, il n'aspire plus qu'au calme provincial.

Au mois de mars 1866, il abandonne définitivement Paris et emmène sa famille au Crotoy, sur cette

1. C'est le calcul étonnant auquel est arrivé l'érudit vernien Charles-Noël Martin.

côte picarde découverte au cours des vacances d'été. Il espère pouvoir y travailler dans la sérénité, inspiré par la Manche impétueuse et ses déferlantes grises sous un ciel noir. Il loue une villa ouverte sur l'estuaire. De sa fenêtre, il embrasse le port et ses bateaux amarrés, la digue de Saint-Valéry avec ses vieux arbres au tronc tordu par les vents d'équinoxe, et plus loin encore, l'horizon agité de houles infinies.

VII

L'APPEL DU GRAND LARGE

George Sand vient de lire coup sur coup *Cinq Semaines en ballon* et *Voyage au centre de la Terre.* Les livres à peine refermés, son esprit épique envisage un troisième volet à ces histoires fantastiques. Après l'air et la terre : la mer. Pourquoi ne pas envisager une épopée sous les océans ? Amicalement, elle se permet de suggérer à l'auteur ce nouveau champ d'exploration : « J'espère que vous nous conduirez bientôt dans les profondeurs de la mer, et que vous ferez voyager vos personnages dans ces appareils de plongeurs que votre science et votre imagination peuvent se permettre de perfectionner. » L'idée séduit Jules Verne et il est infiniment flatté de l'intérêt que porte l'illustrissime femme de lettres à ses romans d'aventure. Il s'attache donc à satisfaire sa correspondante : elle aura son récit sous la mer.

Depuis longtemps déjà, les hommes cherchent à évoluer sous la surface des eaux. Jadis, en 1776, au tout début de la guerre d'indépendance américaine, un bricoleur du Connecticut, David Bushnell, a construit un submersible destiné à placer des charges explosives sous la ligne de flottaison des bâtiments anglais. C'était un petite coque ovoïde en cuivre dont le mouvement était simplement assuré par une hélice tournée à la manivelle. Vingt-cinq ans plus tard, un autre Américain, Robert Fulton, a fabriqué en France le *Nautilus,* sous-marin totalement conçu en bois. L'ingénieur a soumis son invention à Napoléon Ier, mais l'Empereur a sèchement éconduit ce farfelu : personne encore ne croyait aux navires submersibles.

Au moment où Jules Verne s'attelle à son propre *Nautilus,* le combat sous-marin vient d'entrer dans l'Histoire. Aux États-Unis déchirés par la guerre de Sécession, un petit engin naviguant entre deux eaux est parvenu à couler un vaisseau par le fond ! Succès amer. Attaquants et attaqués ont trouvé la mort dans la confrontation. Mais désormais plus personne ne rit des audacieux qui veulent voyager sous les flots.

À partir de ces maigres données, l'auteur laisse vagabonder son imagination. Il magnifie la réalité, lui donne une ampleur prodigieuse. Son vaste sous-marin est luxueusement aménagé : chambres spacieuses, salon, tableaux de maître et orgue, sans oublier l'indispensable bibliothèque renfermant les œuvres des plus illustres écrivains parmi lesquelles se trouvent, évidemment, les romans de la muse George Sand.

Un bâtiment d'une aussi considérable envergure ne saurait être actionné par une vulgaire hélice articulée à la main, l'électricité lui fournit donc l'énergie dont il a besoin grâce à des piles alimentées par le chlorure de sodium extrait de l'eau de mer. Le professeur Aronnax, hôte du *Nautilus,* donne quelques vagues indications techniques mais ne peut que rester muet sur le fonctionnement des machines : « Comment l'électricité pouvait-elle agir avec une telle puissance ? Où cette force presque illimitée prenait-elle son origine ? Était-ce dans sa tension excessive obtenue par des bobines d'une nouvelle sorte ? Était-ce dans sa transmission qu'un système de leviers inconnus pouvait accroître à l'infini ? C'est ce que je ne pouvais comprendre. »

Sur ce sous-marin mystérieux règne un personnage sans nom, le capitaine Nemo (« Personne » en latin), un révolté retiré de la civilisation pour vivre loin de hommes, replié sur ses haines et ses ressentiments. Jamais Jules Verne n'a travaillé avec autant de bonheur. Le capitaine Nemo est un rebelle qui exprime à la fois l'amour de la mer et l'exécration de la tyrannie, un anarchiste solitaire qui pourrait bien être l'auteur lui-même : « La mer n'appartient pas aux despotes. À sa surface, ils peuvent encore exercer des droits iniques, s'y battre, s'y dévorer, y transporter toutes les horreurs terrestres. Mais à trente pieds au-dessous de son niveau, leur pouvoir cesse, leur influence s'éteint, leur puissance disparaît ! Là seulement est l'indépendance ! Là je ne reconnais pas de maîtres. Là je suis libre. » Jules Verne s'invente un monde clos et idéal où demeurent les beautés de la culture mais où jamais ne parviennent les déchirements et les luttes de la société humaine.

Alors que l'écrivain devrait consacrer toute son énergie, toute ses forces, tout son talent à ce roman intitulé provisoirement *Voyage sous les eaux,* Hetzel vient le tirer de ses rêveries pour lui proposer un travail alimentaire : une *Géographie illustrée de la France.*

Chaque département sera vendu en un fascicule à dix centimes, et l'addition de toutes ces plaquettes formera un impressionnant manuel de référence.

En fait, Hetzel avait commandé cette ambitieuse collection à l'historien Théophile Lavallée, mais le bonhomme est mort brusquement après avoir à peine rédigé l'introduction. La série est au programme éditorial, l'idée est bonne et devrait être rentable, il faut donc d'urgence trouver un nom réputé pour remplacer celui de l'illustre défunt. Une étude géographique signée par l'auteur de *Cinq Semaines en ballon* est sans doute promise au succès, mais quelle étrange idée de la part de l'éditeur de venir perturber l'imaginatif romancier pour le plonger dans un labeur que n'importe quel apprenti-compilateur pourrait aisément réaliser !

Jules Verne, lui, n'y voit qu'une affaire lucrative : il va toucher entre quinze et vingt mille francs pour la série. Une belle somme qui n'est pas à dédaigner car, s'il veut parvenir à faire quelques économies, il lui faut absolument accepter des activités annexes. En effet, le destin de ses ouvrages ne le concerne en rien. Leur réussite ou leur insuccès lui importe peu : il n'est pas intéressé aux bénéfices et ne touche aucun droit d'auteur en plus de ses appointements fixes.

La besogne nécessitée par cette *Géographie* est colossale, certes, mais elle le libère totalement de toute créativité. Puisant aux sources les plus récentes, il lui faut seulement réunir et archiver la matière d'un dictionnaire. Jules Verne le dit joliment dans une lettre à son père : au Crotoy, il travaille comme « une bête de Somme ». Justement, il vient de terminer le chapitre sur la Somme et il s'est plu à décrire ainsi les

Picards : « Peut-être sont-ils un peu indolents, mais ils montrent beaucoup de franchise, d'honnêteté, d'intelligence, et une grande aptitude pour l'industrie et le commerce ; leur esprit est généralement juste, leur jugement sain et droit, et ils ne sont pas insensibles aux arts et aux belles-lettres. »

Toujours enthousiaste, heureux quand il peut se perdre en solitaire dans une abondante documentation pour la synthétiser et la vulgariser, il n'est pas trop accablé par son pensum. Sans bouger, il visite la France entière et brosse à grands traits son climat, son développement, sa population, son agriculture, son industrie et son histoire.

L'auteur accepte de tout interrompre pour quelques semaines lorsque son frère Paul, bénéficiant de billets gratuits, vient lui proposer une escapade à New York. La traversée aura lieu sur le *Léviathan,* le monstre marin tant admiré sur la Tamise huit ans auparavant. Après avoir fait le voyage entre la Grande-Bretagne et ses dominions jusqu'en Australie, le navire, rebaptisé *Great Eastern,* se consacre désormais à la liaison entre l'Europe et les États-Unis.

Les deux frères embarquent pour la croisière inaugurale de cette nouvelle ligne, mais l'odyssée se révèle tumultueuse. Après quelques journées ensoleillées, la tempête se lève. Les éléments se déchaînent, la mer se creuse. Le transatlantique est furieusement secoué sur les lames menaçantes, il traverse un cyclone qui emporte dans sa fureur quelques fragments de l'étrave. Un matelot est tué par une ancre dont le treuil a cassé, un autre est englouti par une vague gigantesque. Paul Verne tortille sa barbichette et s'inquiète : dans toute sa carrière de marin, il n'a jamais essuyé un tel grain. Bien des passagers, chavirés par le roulis incessant, vomissent leurs tripes par-dessus bord. Jules, lui, si souvent malade sur la terre ferme, se porte parfaitement bien, heureux de connaître enfin les dangers de la haute mer. Stoïque, il fume sa pipe dans la « smoking-room » ou écoute au salon un récital de piano.

Finalement, le 9 avril 1867, le *Great Eastern* entre dans la rade de New York, après deux semaines d'une traversée agitée, avec quatre jours de retard sur l'horaire prévu. Touristes appliqués, les deux frères ne perdent pas de temps. Jules se fait rapidement une opinion définitive sur la métropole américaine : « Ce n'est guère plus varié qu'un échiquier », puis il dîne au Fifth Avenue Hotel où sa boulimie chronique n'est guère apaisée : « On nous servit solennellement des ragoûts lilliputiens sur des plats de poupées. » La visite se termine au théâtre Barnum où, ce soir-là, on donne un drame intitulé *New York's Streets*. Le voyageur – qui ne parle toujours pas anglais – ne remarque que l'incendie simulé sur la scène et les vrais pompiers maniant une pompe non moins authentique.

Les jours suivants, Jules et Paul se promènent dans Manhattan, excursionnent à Albany – là où Fulton, jadis, réalisa quelques expériences sur les submersibles et les bateaux à vapeur – et remontent en train jusqu'aux chutes du Niagara. Le spectacle est féerique : en ce printemps frisquet, les cataractes sont encore en partie prises dans les glaces et les torrents blancs d'écume plongent en grondant dans les blocs figés. Après seulement une semaine de découverte, il est temps de regagner le navire pour la croisière du retour. Les deux frères débarquent à Brest le 27 avril.

L'auteur utilise ses notes de voyage pour bâcler *Une ville flottante,* compte rendu méticuleux de sa traversée et de ses pérégrinations américaines, ouvrage à la gloire du *Great Eastern,* requiem pour le fier paquebot qui ne naviguera jamais plus : ses armateurs ruinés seront contraints de le démanteler quelques mois plus tard. Jules Verne voit seulement dans son petit roman de quoi satisfaire aux obligations de son contrat et fournir la copie réclamée. Pour ne pas trop imposer à ces pages l'allure d'un guide touristique, il agrémente le reportage d'une abracadabrante histoire d'amour et de jalousie. Ces chicanes amoureuses, avec duel, mariage malheureux et soupirant éperdu, devraient satisfaire Hetzel qui ne cesse de réclamer « le mot du cœur »... Mais Jules Verne sait bien que, littérairement parlant, il n'est pas à l'aise dans les complications sentimentales et il l'avoue franchement à son éditeur : « Ce mot seul "amour" m'effraie à écrire. Je sais parfaitement ma gaucherie, et je me tortille pour n'arriver à rien. »

Avant la fin du printemps, Jules et Paul visitent à Paris les stands de l'Exposition universelle de 1867. Un impressionnant palais circulaire tout de fer, de verre et de briques recouvre le Champ-de-Mars. Ses galeries concentriques aboutissent à une vaste esplanade de verdure où se dressent, tarabiscotées et charmantes, des guinguettes et des baraques exotiques. L'artisanat et l'industrie du monde entier se sont donné rendez-vous ici. Les drapeaux de tous les pays, accrochés par grappes entre les constructions, jettent des taches de couleur et augurent d'une prochaine fraternisation universelle dans la bienfaisante course au progrès. Les visiteurs y découvrent pêle-mêle des locomotives ultra-perfectionnées présentées par l'Angleterre, des tipis indiens apportés d'Amérique, l'énorme canon Krupp exhibé par la Prusse et des maisons japonaises en papier. Une maquette exposée par des ingénieurs français, Bourgeois et Brun, impressionne particulièrement les deux frères, celle du *Plongeur,* imposant sous-marin avec réserves d'air comprimé et hélice de propulsion. Au moment où Jules – sur les conseils techniques de Paul – échafaude son voyage sous les mers, ce modèle réduit vient le galvaniser et l'inspirer.

Il ne peut cependant se rembarquer dans l'immédiat sur son *Nautilus.* Les pages de sa *Géographie* l'attendent. Pour en finir au plus vite, il sollicite l'aide d'Honorine qui, de sa belle écriture ronde, met patiemment au net les brouillons de son mari : huit cents lignes à recopier chaque jour !

Jules Verne sait bien qu'il n'obtiendra ni la consécration littéraire ni l'estime des critiques avec cette laborieuse nomenclature. De toute façon les chroniqueurs le boudent, aucun ne devine en lui l'écrivain qui fignole et polit ses phrases. Ils considèrent généralement l'auteur de *Cinq Semaines en ballon* comme un amuseur pour enfants, à la rigueur comme un excellent vulgarisateur et un parfait géographe, mais sûrement pas comme un styliste. D'ailleurs, après son premier livre, les titres suivants n'ont guère retenu l'attention des gazettes. À quoi bon faire la recension d'ouvrages destinés à propager les sciences ? Si les lecteurs font le succès de Jules Verne, les journalistes ignorent superbement l'écrivain et son œuvre.

Pourtant, au mois d'août 1867, l'Académie française couronne le *Magasin d'éducation et de récréation* dans lequel la vieille dame du quai Conti reconnaît « une forme souvent heureuse de l'activité intellectuelle du temps ». Les trois artisans de cette victoire sont nommément cités sous la coupole : Stahl, Jean Macé et Jules Verne. Est-ce un début de reconnaissance officielle pour l'auteur des *Voyages extraordinaires* ? Hetzel le croit et il incite son auteur à réclamer la médaille de la Légion d'honneur ou même, pourquoi pas, un fauteuil d'académicien. Jules Verne balaye ces fadaises. Jamais il ne fera la moindre démarche pour voir rougir sa boutonnière. Quant à l'Académie, c'est un fantasme d'éditeur qui n'a aucune chance de se réaliser.

En décembre, Jules et Honorine parviennent à mettre la dernière touche à la *Géographie illustrée de la France*. Le couple Verne est enfin délivré de cette corvée. Hetzel, fort satisfait du résultat, insiste dans sa présentation sur la célébrité de l'auteur « qui s'est fait un renom de géographe dans ses excellents livres de voyages », portrait quelque peu réducteur mais parfaitement adapté au produit mis en vente. L'éditeur s'échine à exploiter bien vite le filon, car rien n'est plus périssable que ce genre d'encyclopédie. La *Géographie* est donc diffusée sous toutes les formes : après la publication de chaque département en fascicule, elle est proposée en recueils brochés regroupant dix départements, et enfin en un seul gros volume réunissant toute la France. L'auteur ne se fait guère d'illusion sur ce travail de commande : « C'est assez exact, ça se vend ; donc le but est rempli », écrit-il à son père.

Avec la rémunération obtenue, Jules réalise son rêve d'enfance : il achète un bateau. En fait, il s'agit d'une simple chaloupe de pêche rebaptisée *Saint-Michel* qu'un charpentier du Crotoy a quelque peu aménagée pour la navigation de plaisance. Dans la cambuse de l'avant sont entreposés les vivres et, dans la cabine de l'arrière, Jules peut travailler, avec, à portée de main, une armoire-bibliothèque où sont rangés dictionnaires et cartes.

Honorine, sujette au mal de mer, monte rarement sur le bateau et, le plus souvent, Jules Verne s'en va seul voguer sur la Manche. Il emmène avec lui, pour tout équipage, deux vieux pêcheurs du Crotoy : le quartier-maître Alexandre Delong, dit Sandre, un marin au visage buriné, bonnet de fourrure vissé sur la tête, et le matelot Alfred Bulot, un Picard parti naguère chercher l'aventure en Nouvelle-Calédonie dont il est revenu édenté mais les yeux emplis de toutes les merveilles des antipodes.

Habillé d'une vareuse coupée dans un méchant tissu bleu, béret enfoncé jusqu'aux oreilles, le « capitaine » Verne observe les manœuvres ou tient la barre pendant que le *Saint-Michel* vogue vers Le Havre, Boulogne ou Calais...

Sandre s'entend parfaitement avec le commandant, cet original qui se croit navigateur. N'ont-ils pas tous les deux en commun la passion de la mer ? Une seule chose afflige le quartier-maître : le patron ne s'intéresse en aucune manière à la pêche. Non seulement, il reste indifférent aux filets et aux appâts, mais on dirait qu'il porte la guigne. En sa présence, impossible de ferrer le moindre maquereau ! Sandre ne comprend rien à cette malédiction et s'en ouvre discrètement à Charles Wallut, embarqué pour une petite croisière :

– Il ne croit au poisson que lorsqu'il le tient au bout de sa fourchette. Comment un homme aussi supérieur peut-il être atteint d'une pareille infirmité ? Ce n'est pas qu'il nous défende de mettre nos lignes à la traîne et même d'embarquer notre chalut, mais on dirait une fatalité. À bord de nos barques, nous prenons ce que nous voulons, le poisson mord sur des tuyaux de pipe. À bord du *Saint-Michel,* vous amorceriez avec des truffes, rien n'y ferait, c'est à croire que le capitaine nous a jeté un sort. Et à chaque tentative nouvelle, naturellement, il se moque de nous[1].

Pendant les vacances, Jules Verne emmène sur les flots son frère Paul qui vient au Crotoy accompagné de ses deux aînés, Gaston, huit ans, et Maurice, six ans. Parfois, il tente de transmettre sa passion maritime à son fils Michel, à Valentine et Suzanne aussi, devenues de jeunes demoiselles charmantes et distinguées qui font la fierté d'Honorine. Cette dernière, après mille réticences, accepte exceptionnellement de se risquer sur l'embarcation... Le vent gonfle les voiles

1. La description du *Saint-Michel* et les récriminations de Sandre ont été rapportées dans un article de Charles Wallut (signé du pseudonyme de Charles Raymond), « Les Célébrités contemporaines », publié dans le *Musée des familles* en septembre 1875.

et le bateau emporte ses passagers pour une petite promenade jusqu'à Dieppe et un rapide retour au Crotoy. Rentrée chez elle, soulagée de retrouver le plancher des vaches, l'épouse veut faire bonne figure et déclare crânement n'avoir jamais eu peur tout au long de cet audacieux périple... bien décidée *in petto* à ne jamais renouveler une aussi terrifiante expérience.

Bientôt, le cabotage le long des côtes ne satisfait plus le capitaine et, grâce à quelques rectifications dans la voilure, il parvient à traverser la Manche et à remonter jusqu'aux environs de Londres. Un bel exploit qui inspire à l'auteur d'autres exploits, mais de plume cette fois. Car la chaloupe est devenue un véritable cabinet de travail. Sur la Tamise ou lorsque le gros temps contraint l'embarcation à relâcher durant plusieurs jours dans quelque port de la côte normande, Jules Verne demeure enchaîné à sa table, immergé par la pensée dans les mers profondes. Sa *Géographie* terminée, il a repris avec enchantement son voyage sous les eaux. Il tente de communiquer son enthousiasme à l'éditeur, lui décrivant l'étonnante personnalité du capitaine Nemo : « Jamais il ne met le pied sur un continent. Les continents et les îles viendraient à disparaître sous un nouveau déluge, qu'il vivrait tout comme, et je vous prie de croire que son arche sera un peu mieux installée que celle de Noé. Je crois que cette situation "absolue" donnera beaucoup de relief à l'ouvrage. Ah ! mon cher Hetzel, si je ratais ce livre-là, je ne m'en consolerais pas. Je n'ai jamais eu un plus beau sujet entre les mains. »

Jules aime à travailler sur son bateau. Il y trouve le calme et la concentration qui lui manquent sur terre. Sur le *Saint-Michel,* il rencontre la solitude sans laquelle il ne peut vivre pleinement les deux seules passions de sa vie : l'écriture et la mer.

Dans la maison du Crotoy, Michel, qui a maintenant sept ans, est souvent malade : il souffre de fréquents maux d'estomac, comme papa. La mère, perpétuellement inquiète, couve excessivement son petit dernier et, quand le gamin va mieux, il tourbillonne et s'agite, faisant régner la terreur par ses cris et ses caprices. Jules ne parvient pas à s'habituer à cette agitation et se résout à placer son fils dans un internat d'Abbeville, à mi-chemin entre Amiens et Le Crotoy, là où les deux filles d'Honorine sont déjà pensionnaires.

Durant l'année scolaire, le foyer des Verne retrouve un peu de sérénité, mais la seule présence d'Honorine suffit à irriter le mari. Insensible à la littérature ou trop attentionnée avec ses petits plats mijotés, elle est toujours exaspérante. Alors Jules, délaissant le chemin de fer, monte sur son bateau et, seul avec ses deux matelots, file vers Paris. Il amarre le *Saint-Michel* près du pont des Arts et se réfugie dans le pied-à-terre qu'il a conservé au 2, rue de Sèvres.

Rendez-vous secrets, rendez-vous d'amour. L'écrivain rompt sa solitude avec une maîtresse inconnue dont nul ne saura jamais rien. Les deux amants s'isolent de l'activité trépidante de la ville, et se cachent, heureux dans ces instants volés au temps. L'espace d'une étreinte, ils peuvent réinventer la vie.

Le seul à être dans la confidence, c'est Pierre-Jules Hetzel qui se fait le complice bienveillant de ces tête-à-tête clandestins. Jules Verne lui livre ses pensées les plus intimes : il ne songe qu'à son travail... et à ses équipées vers Paris. Et il navigue sur la Seine *« furens amore »* ! Voilà bien longtemps que Jules Verne n'avait plus été « furieux d'amour ».

Mais, aux yeux d'Honorine, il lui faut justifier ces bordées vers la capitale. Alors il réclame de son éditeur une connivence amicale : Hetzel envoie au Crotoy des missives officielles où la présence de l'auteur est demandée au plus vite rue Jacob pour le choix des gravures d'*Une ville flottante* dont la publication est imminente... Jules s'empresse de remonter sur le bateau pour mettre le cap sur Paris, abandonnant sa femme à l'isolement de la côte picarde.

Honorine n'avale pas tout à fait les pieux bobards entretenus par l'éditeur. Naguère, elle supportait la présence d'Estelle, mais à présent elle s'inquiète. Ces mystères lourdement entretenus, ces fuites secrètes, le caractère de plus en plus renfermé de son époux la torturent. Seule dans la petite maison du Crotoy, elle passe des journées à pleurer sur son foyer en pleine décomposition, sur son mariage raté, sur sa vie gâchée. Elle ne sait vers qui se tourner, à qui demander de l'aide. Finalement, elle ouvre son cœur à Hetzel dans une longue lettre désespérée. Jules est devenu irascible, se plaint-elle, et puis « quand le ménage l'ennuie et le fatigue trop, il prend son bateau et le voilà parti, le plus souvent je ne sais où il est ». Que faire ? « Mon mari me glisse dans la main, aidez-moi à le retenir... »

Cette confession poignante ne trouve aucun écho. Le cher Hetzel – qui lui-même néglige son épouse pour entretenir une liaison secrète avec une traductrice russe – ne peut rien faire pour ramener l'auteur vers la pauvre dame délaissée. Et puis quoi ! il n'a pas vocation de jouer au rabibocheur de cœurs brisés... En ce moment, d'ailleurs, il est bien plus préoccupé par le capitaine Nemo que par les démêlés conjugaux de son créateur. En effet, le *Voyage sous les eaux* prend une tournure alarmante. Jules Verne en a déjà rédigé deux versions, peu satisfaisantes l'une et l'autre.

L'écrivain voudrait donner au maître du *Nautilus* une épaisseur qui expliquerait et justifierait les raisons de son exécration pour l'humanité entière. Et si c'était un Polonais révolté contre la dictature russe ? Un seigneur dont les filles ont été violées, la femme tuée à coup de hache, le père mort sous le knout, les amis déportés en Sibérie. Alors, ce capitaine sans nom deviendrait porteur de la colère d'un peuple tout entier dressé contre la tyrannie.

À cette idée, Hetzel est effaré. Bien sûr, il partage l'indignation de tous pour les méthodes utilisées par le tsar dans la répression des soulèvements polonais, mais est-ce une raison pour s'aliéner la Russie entière ? Les livres de Jules Verne sont traduits là-bas ! Désigner aussi clairement l'adversaire du héros reviendrait à se priver d'un marché important. Non, Nemo doit être le combattant d'une grande cause consensuelle, l'un de ces généreux concepts humanitaires susceptibles de mettre tout le monde d'accord et incapables de nuire à quiconque. Pourquoi ne serait-il pas un farouche anti-esclavagiste ? Il lutterait contre les derniers négriers qui, il y a peu encore, sillonnaient les mers... Hetzel insiste : cette situation autoriserait sans doute quelques développements sur l'égalité et la justice bienvenus dans une publication pour la jeunesse. Jules Verne n'est guère convaincu.

L'esclavage a été aboli et il souhaite, le plus possible, s'enraciner dans une actualité immédiate. Et puis ce n'est pas crédible : si Nemo voulait combattre les négriers, il lui suffisait de s'engager dans les armées nordistes pendant la guerre de Sécession, il n'avait nul besoin de s'isoler du monde et de se terrer sous les océans.

Jules Verne, pour une fois, est rétif aux instructions de l'éditeur. Selon l'écrivain, seul un Polonais peut sans commettre une infamie couler un bateau russe, seul un Polonais peut justifier sa haine pour la civilisation qui a détruit sa nation. Il ne parvient pas à envisager un Nemo différent. Selon lui, si le motif de la révolte était laissé dans l'ombre, le personnage perdrait de sa vigueur.

Finalement, l'éditeur et l'auteur trouvent un compromis. Nemo ne sera pas polonais. Nemo ne sera pas non plus un opposant tardif à l'esclavage. Il ne sera rien de précis, il parlera une langue inconnue, se battra contre un ennemi indistinct et pour une raison ignorée.

Vingt Mille Lieues sous les mers – titre définitif du *Voyage sous les eaux* – est publié d'abord en feuilleton dans le *Magasin d'éducation et de récréation* puis en deux tomes, le premier en octobre 1869, le second en juin 1870. Les critiques, une fois de plus, n'y voient que l'aimable divagation d'un vulgarisateur. *Le Figaro* ne décèle dans ces pages qu'un « prétexte à une foule d'explications scientifiques » et *Le Journal des débats* gratifie l'écrivain de ce compliment ambigu : « Savant de bon aloi ».

Avec le temps, on constatera que les nécessités commerciales de la maison Hetzel ont forcé Jules

Verne à créer un mythe d'une intensité dramatique incomparable, plaçant, en lieu et place d'une politique bien réelle, une poésie de l'insurrection, une nébuleuse de la rébellion au-delà du temps et de l'événement. Polonais luttant contre le tsarisme triomphant, Nemo aurait été ancré dans son siècle. Devenu porte-drapeau de tous les opprimés, il pourra traverser les générations avec cette grâce donnée par les dieux aux héros légendaires : la jeunesse éternelle.

VIII

LE CANONNIER PICARD

Tandis que *Vingt Mille Lieues sous les mers* fait un beau succès de librairie – le premier tirage de cinquante mille exemplaires s'épuise rapidement –, Jules Verne est déjà ailleurs. Il conçoit et écrit parallèlement plusieurs ouvrages : *Autour de la Lune,* suite donnée à *De la Terre à la Lune, Le Pays des fourrures,* dérive d'un iceberg dans le Grand Nord canadien, et *Oncle Robinson,* développement sur le thème impérissable de l'île déserte. La rédaction de trois volumes chaque année constitue pour l'auteur une continuelle obsession. Face à un journaliste américain, il révélera sa méthode de travail :

– Je commence par faire un brouillon qui détermine ce que doit être l'histoire – son début, le milieu et la fin. Comme j'ai habituellement deux ou trois romans en route, je peux passer de l'un à l'autre quand je me lasse. C'est une méthode valable pour tout écrivain qui voudrait atteindre son maximum de production. Quelquefois, je suis en avance de deux ans sur mon contrat[1].

1. « Jules Verne today », article publié le 11 février 1905 dans le

Il semble maintenant avoir trouvé un rythme qui lui permette de remplir ses obligations : il alterne chefs-d'œuvre et médiocrités. Ce déséquilibre dans la production, ces sommets et ces abîmes, font supposer à certains lecteurs que Jules Verne n'existe pas, n'a jamais existé, ne serait qu'un nom générique, un label s'appliquant à une cohorte d'auteurs plus ou moins talentueux travaillant pour la même maison et dans un même esprit. L'éditeur laisse dire et s'amuse de cette conception communautaire de celui qu'il surnomme affectueusement « Vernichon ».

Si Pierre-Jules Hetzel accepte parfois d'en rabattre sur ses exigences littéraires, en revanche il veille aux bonnes mœurs avec une rigueur constante et attentive. Non seulement il supprime toute expression ou situation scabreuse qui pourrait choquer les bien-pensants, mais il s'évertue aussi à parsemer les textes de petites touches religieuses de bon ton ! Esprit fort et républicain convaincu, il est également un entrepreneur prudent qui ne souhaite se metttre à dos ni l'Église ni ses ouailles.

Cette tâche vertueuse accomplie, il impose quelques corrections à un récit trop bâclé et le publie dans sa revue. Ça fera toujours un Jules Verne de plus. En feuilleton, les imperfections de certains romans sont moins apparentes : explications techniques et aventures débitées en épisodes maintiennent l'attention des jeunes lecteurs, et cela est bien suffisant. Ensuite seulement, le texte est diffusé sous

Transcript de Boston. Cité par Daniel Compère et Jean-Michel Margot, *Entretiens avec Jules Verne.*

forme d'ouvrage, mais les ventes fructueuses sont réservées à quelques titres privilégiés [1].

L'éditeur avale bien des couleuvres et consent parfois à fermer les yeux sur des passages torchonnés à la diable, mais la coupe est pleine avec *Oncle Robinson.* Il refuse de publier ce ramassis de platitudes et annote le manuscrit avec rudesse : « Lent et long... Caractères mous et sans saillies... Cela agace et sans résultat... Lâchez tous ces types et recommencez avec de nouveaux... » L'écrivain se soumet et il a raison. Il découd entièrement son sujet et le recompose. Ce sera *L'Île mystérieuse,* un roman de belle facture où l'on retrouvera le capitaine Nemo vieilli, devenu prince indien. La mort du personnage permet à l'éditeur d'exercer sa vigilance dévote. L'auteur aurait voulu voir expirer son héros le plus simplement possible, sans cérémonie. L'éditeur préfère ponctuer le trépas de pieuses paroles : « Que Dieu ait son âme !... Prions pour celui que nous avons perdu ! »

« Vernichon » accepte. Il sait que la littérature destinée aux familles a ses contraintes. Il pense déjà aux pages à venir... Et puis, un nouveau contrat lui permet de bénéficier d'appointements légèrement augmentés, passant de neuf mille à dix mille francs par an. Parfois innovateur inspiré, parfois pisse-copie, rien ne lui fait peur. Il vient même de promettre à Hetzel de se charger d'un nouveau travail documentaire et alimentaire, payé en plus de son revenu fixe : une *Histoire*

1. Si Jules Verne a remporté d'immenses succès de librairie, quelques romans ont connu des méventes retentissantes. Par exemple, le tirage de cinq mille exemplaires du *Superbe Orénoque* (publié en 1898) ne sera pas épuisé en 1905, à la mort de l'auteur.

des grands voyages et des grands voyageurs à travers des figures comme Hérodote, Marco Polo et Christophe Colomb.

Pendant qu'il travaille sur son bateau ou s'abandonne à la frénésie de ses amours parisiennes, Honorine se morfond au Crotoy. Dans la solitude des bords de mer, la pauvre femme croit devenir folle ! Pour résoudre cette délicate question conjugale, Jules Verne loue une maison à Amiens, 3, boulevard Saint-Charles [1], face à la ligne de chemin de fer qui traverse la ville. Entourée de ses parents et de son frère, Honorine retrouvera peut-être un peu de son sourire et de son entrain.

Le mari demeure d'ailleurs très lié avec sa belle-famille et il est à Amiens pour le Nouvel An 1870. On parle des sujets du jour et d'abord de la Légion d'honneur que Jules devrait bientôt pouvoir arborer à sa boutonnière. Il y a peu encore, l'écrivain affirmait fièrement son indifférence pour ces récompenses. À présent, il se laisse faire et il espère... Le célèbre Ferdinand de Lesseps, à peine revenu d'Égypte où il a inauguré le canal de Suez en compagnie de l'impératrice Eugénie, a promis de s'entremettre pour faire donner le ruban à un écrivain qu'il admire par-dessus tout. De son côté, Hetzel a joué de ses relations en sollicitant l'intervention d'un camarade de jeunesse, l'influent critique Jean-Jacques Weiss, secrétaire

1. Actuel boulevard Maignan-Larivière. La maison, première adresse de Jules Verne à Amiens, n'existe plus.

général du ministère des Beaux-Arts. Au cours du réveillon amiénois, on évoque aussi la politique, on glose sur l'Empire libéral institué par Napoléon III après les récentes victoires électorales de l'opposition. À n'en pas douter, l'année à venir sera celle de la paix sauvée, de l'ordre social assuré, de l'équilibre européen rétabli.

Hélas, ce climat paisible se dégrade au cours des mois suivants. La prétention d'un Hohenzollern au trône espagnol déchaîne la vindicte de la presse parisienne, une débauche d'articles indignés et provocateurs exigent la guerre. « La France, enlacée sur toutes ses frontières par la Prusse ou par des nations soumises à son influence, se trouverait réduite à un isolement... », écrit *Le Siècle*. Le pays est secoué d'une fièvre belliqueuse, l'opinion publique survoltée pousse l'Empire à se lancer dans une confrontation avec la Prusse.

Le 6 juillet, Napoléon III réunit un Conseil à Saint-Cloud. Plusieurs ministres se montrent réservés et exhortent leurs collègues à la prudence. L'empereur lui-même, malade et fatigué, voudrait éviter l'affrontement. Mais comme dans toutes les périodes de tension, les plus extrémistes mobilisent l'attention. Le maréchal Lebœuf, ministre de la Guerre, trace un tableau idyllique et mensonger de l'armée française : « admirable, vaillante, disciplinée, exercée », même si le conflit devait durer un an, « il ne manquerait pas un bouton de guêtre ».

Jules Verne n'a pas de ces impulsions bellicistes : « Je n'ai jamais eu tant envie que cela de rosser les Prussiens et moins encore d'être rossé par eux, ce qui, hélas ! pourrait bien arriver. » Il fait confiance au bon sens de l'humanité : « Ici, écrit-il encore à Hetzel, on a l'air de croire qu'on va se battre contre la Prusse. Je n'y peux pas croire, je n'en crois pas un mot, et vous ? »

Pourtant, que ce soit à Paris, à Amiens ou au Crotoy, la conflagration se prépare dans l'enthousiasme. On acclame follement les soldats mobilisés, les femmes font un triomphe aux héros de demain et les gargotiers patriotes abreuvent gratuitement de piquette les hommes en uniforme. Toute la France est en liesse et communie dans une grande kermesse cocardière.

Au matin du 4 août, la IIIe armée allemande se met en mouvement à la frontière de l'Alsace et lance ses obus sur la petite localité de Wissembourg... Les hostilités viennent de commencer. Il se passera plusieurs heures avant que l'état-major français ne le comprenne. Il faudra attendre plusieurs jours pour qu'il admette que la situation est irrémédiablement perdue. Très vite, l'armée se disloque, le désordre et la consternation achèvent de démoraliser les troupes. L'invasion allemande commence.

L'empereur étant parti sur le front du côté de Metz, l'impératrice assure la régence, recluse dans le palais des Tuileries. Elle sait que son règne touche à sa fin et, avant de s'effacer, elle signe, le 9 août, l'un de ses derniers décrets, une promotion dans l'ordre de la Légion d'honneur. Au moment de la chute, elle tient encore à récompenser ceux qui ont illuminé le Second Empire de leur talent. Dans cette liste : le vaudevilliste Eugène Labiche, élevé au grade d'officier, et Jules Verne, nommé chevalier.

Même dans ces circonstances dramatiques, l'auteur

est heureux de son ruban rouge, fier surtout de la joie qu'il donne à ses parents. Il y voit une occasion d'aller à Chantenay rendre visite à son père qui vieillit perclus de rhumatismes. Jules n'a pas revu la Bretagne depuis un an et demi et il retrouve un vieillard de soixante et onze ans, toujours vif d'esprit mais physiquement brisé. La demeure familiale, qui naguère respirait le bonheur, sent aujourd'hui la décrépitude et la tristesse. Finis les petits bouts-rimés qu'affectionnait Pierre Verne, finis les jeux et les bals. La maison dans les vignes s'endort au rythme lent d'un couple âgé replié sur lui-même.

Affligé, le fils ne veut pas s'attarder. Il a hâte d'échapper à cette atmosphère renfermée, il veut rejoindre Le Crotoy, son bateau, son travail, sa sérénité. Mais d'incroyables bouleversements sont intervenus : en pleine guerre, la France est entrée en République. Le 4 septembre, les dernières structures du pouvoir impérial se sont écroulées dans l'indifférence, Jules Favre et Léon Gambetta ont formé un gouvernement de défense nationale. Pour regagner la baie de Somme, Jules Verne entreprend un périple à travers un pays que désorganisent la chute du régime et l'offensive prussienne. Évitant Paris assiégé, il fait un long détour par Le Mans, Rouen et Dieppe.

Dans la capitale bientôt bombardée, Pierre-Jules Hetzel transporte ses biens les plus précieux – des manuscrits, des tableaux, quelques meubles – dans une cave voûtée de l'Institut, ce qui ne l'empêche pas de continuer à exercer son métier. Il extrait de la *Géographie illustrée de la France* les départements concernés par l'invasion prussienne et en prépare la publication sous le titre *De Paris au Rhin,* un petit guide pratique des champs de bataille. Quant au fils, Jules Hetzel, il a tenu à s'engager dans une unité combattante, lieutenant d'artillerie sur les hauteurs du mont Valérien il participe à la défense de la capitale.

Toute la France se mobilise pour les derniers affrontements. À quarante-deux ans, Jules Verne n'est pas enrôlé dans les troupes actives, mais il reçoit ordre de demeurer au Crotoy comme garde national avec mission de surveiller la côte.

On attend les Prussiens. Ils seront là d'un jour à l'autre. Les rumeurs vont bon train, on assure que les terribles uhlans brûlent et pillent les villages traversés... Jules veut préserver Honorine et les trois enfants de ces horreurs annoncées, il les envoie à Amiens, dans leur maison du boulevard Saint-Charles où ils trouveront sans doute un peu plus de sécurité. Lui, il reste seul à bord de son bateau et guette les mouvements sur la mer. À tout hasard, le *Saint-Michel* est équipé d'un petit canon, le capitaine s'achète un fusil militaire Chassepot avec cent cinquante cartouches et, shako sur la tête, revêtu de la tenue bleu nuit réglementaire, il attend l'ennemi en compagnie de douze réservistes placés sous ses ordres, petite troupe équipée, elle, en tout et pour tout des trois vieux fusils à pierre.

Dans sa cabine exiguë, le garde national passe les mois de guerre à mettre la dernière main à deux nouveaux romans. *Aventures de trois Russes et de trois Anglais dans l'Afrique australe* évoque des savants appartenant à des nations ennemies mais liés par la passion de la connaissance, révélant ainsi l'aspect dérisoire des conflits armés. Dans *Le Chancellor,* l'auteur imagine un naufrage avec lutte pour la survie et scènes de cannibalisme. Des petits romans dont Hetzel devra bien se contenter.

Si les Prussiens se désintéressent du Crotoy, petit port picard, ils occupent Amiens. Honorine se voit obligée d'héberger quatre soldats, quatre Allemands placides comblés de trouver si bonne table. Au cours d'une rapide visite en ville, Jules rencontre ces hôtes particuliers. Soulagé de trouver des ennemis « doux et tranquilles », il ne s'offusque pas particulièrement de la réquisition de quelques pièces de son appartement, D'ailleurs, dès le 16 décembre, après trois mois d'occupation, le gros des troupes d'invasion quitte la cité pour s'en aller faire le siège de Paris. Le général prussien laisse la région à la garde d'un canon et fait afficher cet avertissement : « Habitants d'Amiens, par ordre supérieur je suis obligé de quitter la ville pour quelques jours. Je félicite les Amiénois de leur sagesse, et je confie la ville à leur garde. Cependant, si un corps français tentait d'entrer dans la ville pendant mon absence, il serait repoussé par le canon de la citadelle. »

Le canonnier du Crotoy en est persuadé, la paix sera bientôt signée. Effectivement, l'armistice est proclamé à Versailles le 26 janvier 1871. En revanche, la suite des événements l'inquiète davantage, la guerre civile ne risque-t-elle pas d'éclater dans la capitale ? Il écrit à son père ces lignes rageuses : « J'espère bien que l'on gardera les mobiles[1] quelque temps à Paris,

1. Il s'agit des gardes nationaux mobiles, auxiliaires de l'armée pour la défense du territoire et le maintien de l'ordre.

et qu'ils fusilleront les socialistes comme des chiens. La république ne peut tenir qu'à ce prix, et c'est le seul gouvernement qui ait le droit d'être sans pitié pour le socialisme, car c'est le seul gouvernement juste et légitime. » Cet homme, d'ordinaire si pondéré sur le plan politique, exprime une surprenante hargne meurtrière contre les révolutionnaires.

Au mois de mai, alors que le soulèvement populaire triomphe à Paris et donne corps aux pires craintes de l'écrivain, son amertume est partagée par une partie de la population et par des écrivains : Émile Zola songe à abandonner les lettres pour toujours, George Sand se dit terrifiée par ce débordement de violence, et Eugène Labiche s'exprime, à son tour, en termes excessifs : « Les misérables qui tiennent Paris sont des forcenés, abrutis... Ils méritent un châtiment terrible. » Quant au cher Hetzel, en villégiature à Lausanne où il soigne sa santé déficiente, il ne sait plus quel parti adopter : « D'un côté des fous furieux, des scélérats, des barbares ; de l'autre des bourgeois égoïstes », écrit-il à sa femme réfugiée à Bruxelles.

Jules pense déjà à l'avenir et songe sérieusement à prendre un emploi à la Bourse dès que les circonstances le permettront. Les temps qui courent ne sont guère favorables à la littérature et le contrat signé avec son éditeur l'épuise. Trois volumes par an pour un revenu de misère ! À quoi bon s'acharner ? Les enfants grandissent, il a besoin d'argent, et ses contrats ne lui permettent guère d'espérer améliorer sa condition.

Le mois suivant, une fois l'ordre rétabli, Jules Verne se précipite à Paris. En flâneur, il visite une ville ruinée par les atroces combats qui ont mis fin à la Commune ; en professionnel, il va rôder autour du palais Brongniart. Il reprend contact avec l'agent de change Eggly, son ancien employeur. Les rêves de fortune l'assaillent à nouveau. Certes, dans le passé, les arcanes de la finance ne lui ont guère été favorables, mais il est certain qu'avec l'expérience accumulée il parviendra à spéculer plus efficacement. Il forme le projet de ne plus exercer ses talents d'investisseur que pour les banques et les sociétés de crédit, au détriment d'une clientèle privée trop aléatoire.

Fine mouche, Hetzel saisit le danger : en désespérant son auteur il va le pousser à abandonner ses romans à succès ou, pire, à aller voir un autre éditeur... En se montrant trop cupide, il est en train de tuer la poule aux œufs d'or. Il accepte donc, après maintes discussions, de revoir les termes des anciens contrats. Il allège un peu les obligations de l'auteur et augmente ses mensualités. Désormais, Jules Verne ne devra fournir que deux volumes par an et il touchera un forfait fixé à mille francs par mois. Douze mille francs par an, une rente qui ne correspond certainement pas à la vente de ses meilleurs livres, mais qui lui permet de faire vivre honorablement sa famille.

Paris reprend lentement son visage habituel. Jules s'y rend régulièrement, mais l'avenir politique lui paraît sombre. Il ne croit pas qu'Adolphe Thiers, chef du gouvernement d'union nationale, possède la poigne nécessaire pour imposer une république forte et durable, seule garante de la paix intérieure. Son pessimisme entrevoit d'autres affrontements : « Ce n'est que le début de l'Internationale, qui, vaincue encore cette fois, nous dévorera un jour », confie-t-il à son père. La France sort d'un drame affreux, mais l'esprit inquiet et torturé de Jules Verne prophétise de nouveaux déchirements.

Malgré ses pressentiments maussades, l'auteur songe toujours à la littérature. Son ultime refuge. Entre Paris, la maison d'Amiens et le bateau du Crotoy, il développe une idée qui le chatouille depuis longtemps : *Le Tour du monde en quatre-vingts jours.*

Suite à l'inauguration du canal de Suez, en novembre 1869, les journaux ne cessent de s'esbaudir sur la planète devenue si petite, sur les distances si facilement franchies, sur les continents maintenant si proches. Une réclame de l'agence Cook promet à ses clients de leur faire visiter le globe en un délai record. La mode est à la vitesse, aux performances, aux locomotives grondant le tonnerre pour foncer à travers les terres, aux bateaux crachant la vapeur pour traverser les mers. En avril 1870, le *Magasin pittoresque,* une revue illustrée et encyclopédique, déclarait avec un frémissement ému : « On peut, en partant de Paris, faire désormais le tour du monde en moins de trois mois. »

Et le journal donnait, en détail, l'itinéraire de ce périple de Paris à Paris et le temps nécessaire pour franchir les étapes. Six jours pour rejoindre Port-Saïd. Puis quatorze jours de bateau jusqu'à Bombay, trois jours de train pour arriver à Calcutta, douze jours de bateau jusqu'à Hong Kong, encore six jours et voilà Tokyo, quatorze jours pour atteindre les îles Sandwich et sept supplémentaires pour mettre pied à San Francisco. De là, le chemin de fer du Pacifique mènerait le voyageur jusqu'à New York en une semaine d'où un paquebot le conduirait sur la côte française. Sans anicroche, le passager pressé devrait arriver à Paris onze jours plus tard. Et la boucle serait ainsi bouclée en quatre-vingts jours !

Jules Verne sait que ce trajet, théoriquement possible, ne peut se faire qu'à la condition de garder un œil fixé sur les horaires et les correspondances. Le moindre bateau manqué, un seul chemin de fer retardé et c'est toute l'entreprise qui s'écroule. Mais, dans ces calculs précis et ces prévisions minutieuses, un élément a été négligé : les changements de méridiens. En accomplissant son tour du monde par l'est, le voyageur gagnerait un jour ; s'il se dirigeait vers l'ouest, au contraire, il perdrait un jour !

Cette bizarrerie géographique avait été utilisée autrefois par Edgar Poe pour sa nouvelle *La Semaine des trois dimanches*. Dans une étude sur l'écrivain américain parue dans le *Musée des familles* en 1864, Jules Verne, visiblement séduit par cette idée, avait tenté de l'expliquer. On y trouve déjà la conclusion du *Tour du monde en quatre-vingts jours :* « Supposons que le premier individu parte de Londres et fasse mille miles dans l'ouest ; il verra le soleil une heure avant le second individu resté immobile. Au bout de mille autres miles, il le verra deux heures avant ; à la fin de son tour du monde, revenu à son point de départ, il aura juste l'avance d'une journée entière sur le second individu. » Tout est exact, hormis le fait que, pour accomplir la prouesse de gagner vingt-quatre heures, il faudrait se diriger vers l'est et non vers l'ouest. Cette petite erreur sera rectifiée dans le roman. En tout état de cause, voilà un beau dénouement pour un périple autour du monde !

Jules Verne sait qu'il tient là un sujet exceptionnel : il englobe toute la Terre en un seul voyage ! Ce livre, il ne veut pas le rater et il écrit avec une exaltation rare chez lui. Il retrouve la joie de travailler, le bonheur de s'échapper en compagnie de ses héros dans des contrées lointaines, l'euphorie d'accomplir par l'écriture de stupéfiants exploits. Il en rêve la nuit, il y consacre ses journées. Alors, qu'importent les difficultés de l'heure présente, la France vaincue et humiliée, le gouvernement en proie aux difficultés, les taxes augmentées pour payer l'indemnité de guerre réclamée par l'Allemagne victorieuse... Jules Verne vit dans un monde préservé, celui de Phileas Fogg, celui où les seules préoccupations sont d'acheter un éléphant pour pallier l'absence de chemin de fer, de se préserver d'une attaque d'Indiens, de dérouter un navire de sa course afin de gagner Londres au plus vite... Et tout cela dans un seul but : faire le tour du monde en quatre-vingts jours et gagner un pari tenu un soir d'ennui dans un club anglais !

Londonien farfelu flanqué de son serviteur français Passepartout, Phileas Fogg peut tout sacrifier à son désir effréné de gagner son pari. Mais sous ce ressort tendu vers la victoire, cette machine remontée pour avancer malgré les obstacles, vibre parfois une âme ! Quand Fogg perd des journées sur son itinéraire balisé, c'est toujours pour une noble cause. Il doit arracher Passepartout aux mains des Sioux qui l'ont enlevé ou il s'en va sauver une veuve hindoue promise à l'immolation sur la tombe de son mari... Et dans cette aventure d'hommes surgit alors la femme sous la forme de la belle et sensuelle Adoua... « Sa mince et souple ceinture, qu'une main suffit à enserrer, rehausse l'élégante cambrure de ses reins arrondis et la richese de son buste où la jeunesse en fleur étale ses plus parfaits trésors. » Verne s'attache à humaniser son héros avec « le mot du cœur » réclamé par l'éditeur. Un sentiment qui trouvera sa récompense : en se rendant chez le révérend pour organiser le mariage de son maître, le serviteur découvrira que le pari a été remporté, un jour ayant été gagné en marchant vers l'est ! Et puis, comme dans un conte de fées, la charmante Indienne rendra heureux son Anglais excentrique « quelque invraisemblable que cela puisse paraître ».

En même temps, l'auteur tente d'adapter pour le théâtre le roman en gestation. Il sait que s'il parvient à obtenir un succès sur la scène, il touchera des droits bien supérieurs à ceux obtenus avec ses contrats d'édition. Là se situent les vrais espoirs de fortune. Avec les revenus d'*Un chapeau de paille d'Italie,* Labiche s'est acheté un beau domaine en Sologne ; avec les profits de *La Famille Benoîton,* Sardou va bientôt acquérir la résidence impériale de la Malmaison... Alphonse Daudet, sagace observateur de la société culturelle, remarque avec ironie que la plupart des dramaturges sont totalement indifférents aux préoccupations artistiques. Réunis à une même table, dans un même cercle, ils ne parlent pas répliques ou inspiration mais recettes et droits d'auteur... Et l'on entend alors ces dialogues dignes des coulisses de la Bourse : « Combien fait le Vaudeville ? » « Trois mille cinq ». « Et le Gymnase ? » « Quatre mille sept ».

Jules Verne rêve d'entrer dans cet univers de l'argent rapide. Il n'est plus animé par les ambitions romantiques de jadis, il ne suit plus les traces de Victor Hugo, il cherche simplement la sécurité financière.

Pour réussir dans cette entreprise, il n'accorde pas une grande confiance à ses propres capacités : ses retentissants fiascos théâtraux du passé l'ont échaudé. Il croit donc indispensable de s'adjoindre un spécialiste du genre. Larochelle, comédien et administrateur de plusieurs théâtres parisiens, est le premier à se déclarer persuadé du succès phénoménal que remporterait une pièce signée Jules Verne. Il envisage déjà de fabuleux bénéfices... Pour permettre à l'auteur de boucler rapidement son scénario, il lui présente Édouard Cadol, bon faiseur, plumitif fécond qui a connu un triomphe, voilà trois ans, avec une comédie de mœurs, *Les Inutiles*. Ce littérateur habile saura bien adapter l'imaginaire vernien aux contraintes d'un spectacle.

Jules travaille en solitaire à son tour du monde romanesque, alors qu'il en accomplit un autre – théâtral, celui-là – avec son collaborateur. Il rassure Hetzel, l'ouvrage ne souffrira pas de l'adaptation : « Inutile de vous dire que je laisse de côté toute préoccupation de pièce et que pour le livre je m'écarte du plan arrêté par Cadol et moi. Je n'ai jamais mieux vu combien un livre différait d'une pièce. »

Laborieusement, les deux auteurs développent les

dialogues et les situations. Mais comment traduire sur les planches la puissance des locomotives et la rapidité des navires, comment mettre en scène les tigres de la vallée du Gange et les bourrasques des hautes mers ?

IX

AMIENS, VILLE SAGE

Jules Verne poursuit assidûment son travail avec Édouard Cadol mais, en même temps, lassé de Paris, de sa vaine effervescence, de son illusoire course aux honneurs, de ses futiles mondanités, il décide de s'établir définitivement à Amiens. Pour lui, la ville picarde est un moyen terme : à mi-chemin entre la capitale et Le Crotoy, entre la rue Jacob où il doit continuer à se rendre régulièrement pour rencontrer son éditeur et la baie de Somme où est amarré le *Saint-Michel.*

La maison du boulevard Saint-Charles n'a été qu'un refuge temporaire pour Honorine ; au mois de juillet 1871, la famille s'installe dans un appartement plus confortable, 23, boulevard de Guyencourt, en bordure de la voie de chemin de fer.

En cette époque où les artistes à la mode se doivent de fréquenter les salons parisiens, cette fuite vers le calme provincial stupéfie tous les amis de l'écrivain. Jules Verne est obligé de justifier son extravagante résolution. « Sur le désir de ma femme, je me fixe à Amiens, ville sage, policée, d'humeur égale ; la société y est cordiale et lettrée. On est près de Paris, assez près pour en avoir le reflet, sans le bruit insupportable et l'agitation stérile », écrit-il à Charles Wallut. À Félix Duquesnel, un auteur dramatique rencontré dans les coulisses de la Bourse, il explique : « On ne peut plus travailler ici. Ce pays m'énerve. Trop de fièvre et trop de bruit ! On n'y peut trouver une heure de calme et de tranquillité ! C'en est fait, je regagne la province ! Bonsoir Paris ! »

En cette année 1871, Amiens est une cité industrieuse de soixante mille âmes dont l'activité principale est tournée vers le tissage du textile. Dans les filatures mécanisées, au sein des petits ateliers, sur les métiers à bras au domicile des ouvriers, on produit aussi bien la rudimentaire toile de Picardie que le velours de coton ou le tissu d'ameublement. Ville drapante, Amiens se développe au gré des fluctuations d'un marché soumis aux modes et aux techniques. L'entichement des élégantes pour le velours sous le Premier Empire, puis l'apparition du métier à filer mécanique et de la machine à coudre ont permis une croissance régulière. Mais des crises successives ont frappé le tissage amiénois : la guerre de Sécession aux États-Unis a, pour un temps, tari la source d'approvisionnement du coton, et la politique de libre-échange instaurée par Napoléon III a ouvert le pays à la concurrence étrangère.

Dans la ville basse, sur les bords d'un bras de la Somme, le quartier Saint-Leu abrite les oubliés de la croissance, petit peuple indigent entassé dans de misérables baraques tordues et crevassées. Cet îlot de misère fait de venelles sordides où s'exhalent les puanteurs du fumier entassé et des ordures ménagères croupissantes perdure alors même que le marasme économique est surmonté. La bourgeoisie s'enrichit, les travailleurs voient leur condition de vie s'améliorer. Dans le secteur Saint-Roch, une cité ouvrière permettra bientôt de fournir des habitations bon marché aux classes laborieuses et, dans le faubourg de Noyon, les possédants se font construire de belles propriétés entourées de jardin.

La vie culturelle et sociale s'épanouit. Sur la scène du théâtre presque centenaire, les troupes parisiennes viennent interpréter les succès des boulevards, une bibliothèque municipale, un ensemble symphonique, des clubs sportifs, une Société industrielle, une Académie des lettres, sciences et arts font d'Amiens la digne capitale de la Picardie.

Début novembre, Jules Verne est appelé d'urgence à Nantes où son père se meurt d'une attaque cérébrale. Il arrive juste à temps pour lui fermer les yeux et, pour toute oraison funèbre, il expédie à Hetzel ces quelques mots : « C'était un saint véritable. » Pieux panégyrique qui, adressé à l'irréligieux éditeur, ne constitue peut-être pas un éloge sans arrière-pensées... La ferveur et la rigueur moralisatrices de l'avoué nantais ont toujours irrité le fils.

Pierre Verne à peine enterré, Jules retourne à Amiens. Dans cette ville où, à l'exception de sa belle-famille, il connaît en définitive bien peu de monde, il cherche à s'intégrer dans la société des notables. Sa célébrité et le poids de son œuvre vont l'y aider. Quelques mois après son arrivée, il est élu à l'unanimité membre de l'Académie amiénoise, brillant aréopage qui réunit des personnalités locales, journalistes, médecins, avocats, entrepreneurs. Pour les académiciens, la réception en leur assemblée de l'illustre écrivain est un signe de résurrection après la période de léthargie due à la guerre franco-allemande. Le 28 juin 1872, sous les lambris de la grande salle de l'hôtel du Conseil général[1], un certain Moullart, directeur de la compagnie, n'hésite pas à faire de Jules Verne un élément de la régénération de la France après la débâcle :

– Un grand peuple est tombé au dernier degré de l'abaissement, et à quelque temps de là, quand ses ennemis et ses envieux chantaient un *de profundis* ironique sur la tombe où ils le croyaient enseveli, on l'a vu soulever peu à peu la pierre, sortir de son linceul et apparaître plus vivant et plus fort...

Selon les statuts, le récipiendaire devrait prononcer un remerciement, mais l'auteur n'a eu ni le temps ni l'envie de se lancer dans la rédaction d'un long discours protocolaire. Par faveur spéciale, on l'autorise à remplacer la traditionnelle allocution par la lecture de quelques chapitres d'un ouvrage à paraître prochainement : *Le Tour du monde en quatre-vingts jours.* Communication qui charme l'assemblée et permet à Moullart de conclure la séance sur ces louanges :

– Instruire en amusant, éclairer les intelligences par de justes notions tout en captivant les esprits par ce que l'imagination a de plus ingénieux et de plus fécond, telle est la mission que s'est proposée M. Jules Verne et dont il s'acquitte avec un succès constaté par la faveur publique.

1. L'actuelle Préfecture.

L'Académie française veut, à son tour, reconnaître publiquement la valeur des *Voyages extraordinaires.* Elle attribue à l'auteur un prix de deux mille cinq cents francs, somme à partager avec Eugène Manuel et François Coppée couronnés, eux, pour leurs recueils poétiques. Au mois d'août, Jules Verne est présent sous la Coupole pour la solennelle remise des diplômes. Il entend les Immortels témoigner leur admiration pour ses livres « d'une invention si ingénieuse, si piquante et au fond d'une portée si sérieuse » et il répond d'un petit geste timide à l'ovation exceptionnelle qui secoue la vieille maison du quai Conti à l'énoncé de son nom...

Mais il songe tristement qu'à Paris comme à Amiens, les académiciens n'ont pas su déceler dans ses pages le ciseleur de phrases, le styliste acharné, l'écrivain parfait qu'il prétend être depuis si longtemps. Ils n'ont reconnu que le romancier du progrès, le vulgarisateur scientifique, l'imaginatif divertissant. « Instruire en amusant »... « Invention ingénieuse », ont-ils proclamé. Pour Jules Verne les lauriers ont un goût amer. Ses triomphes naissent d'un malentendu fondamental qu'il ne parvient pas à dissiper.

– Ce que je voudrais, c'est qu'on remarque ce que j'ai fait ou essayé de faire, et qu'on ne néglige pas l'artiste chez le conteur. Je suis un artiste ! ne cessera-t-il de répéter aux journalistes, aux amis, aux confrères.

La parution du *Tour du monde en quatre-vingts jours* dans le quotidien *Le Temps,* en novembre et décembre 1872, vient encore raffermir la gloire de l'écrivain. Le feuilleton passionne les foules et les correspondants à Paris de la presse étrangère télégraphient chaque jour à leur rédaction les péripéties de Phileas Fogg autour du globe... Réalités et fictions s'entremêlent : dans toute l'Europe s'ouvrent des paris sur les chances de réussite de l'excentrique voyageur. En France, en Grande-Bretagne, aux États-Unis, des compagnies de navigation cherchent à profiter de cet engouement unanime en s'offrant une réclame tapageuse : contre monnaie sonnante et trébuchante, elles proposent à l'auteur de faire monter son héros sur l'un de leurs bateaux... Jules Verne ne juge pas utile de répondre à ces absurdes sollicitations.

Fin janvier 1873, la publication du roman confirme l'exceptionnelle fortune de ce *Tour du monde*. Aucun autre ouvrage des *Voyages extraordinaires* ne connaîtra un tel succès : cent huit mille exemplaires vendus de la seule première édition non illustrée.

La phénoménale popularité de Phileas Fogg et de son serviteur Passepartout rend Jules Verne un peu plus confiant en l'avenir. À Amiens, il achète un immeuble spacieux de deux étages, 44, boulevard Longueville. Mais le luxe ne l'attirant pas, il installe modestement son bureau dans une petite pièce austère munie d'une rudimentaire table de bois et d'une bibliothèque toute simple.

Encore une fois, il a choisi de vivre le long de la voie de chemin de fer... Son cabinet de travail s'ouvre sur les lignes qui filent en contrebas vers la campagne. Certes, il ne cesse de grogner contre les locomotives qui sifflent et envoient leurs nuages de fumée jusque dans les appartements, mais il semble avoir besoin de la présence constante de ces monstres noirs qui viennent à heures fixes hurler et cracher sous ses fenêtres. La cadence régulière des roues métalliques sur les rails lui est nécessaire pour exciter son imaginaire. Cette musique rythmée n'est-elle pas celle des voyages ? Enfant, il avait constamment sous les yeux des trois-mâts majestueux naviguant vers la mer. Devenu adulte, il a voulu conserver cette échappée vers un monde chimérique... Les voiliers d'antan ont seulement été remplacés par les assourdissantes motrices du progrès technique.

Larochelle, aiguillonné par la notoriété internationale du *Tour du monde en quatre-vingts jours,* incite Jules Verne à reprendre son projet d'adaptation théâtrale. Pour convaincre l'auteur, pour le séduire, il monte au théâtre de Cluny, boulevard Saint-Germain, une comédie en trois actes écrite autrefois par le célèbre romancier avec la collaboration de Charles Wallut : *Un neveu d'Amérique ou Les deux Frontignac,* l'histoire plaisante d'un vieil oncle qui prend en charge son neveu et se fait assurer sur la vie au bénéfice du cher jeune homme... Le 17 avril, les spectateurs font un bon accueil à ce vaudeville. La salle du quartier Latin retentit sous les rires et le critique Jules Claretie se montre ravi : « Pièce amusante, rapide, gaie, sans prétention, presque naïve, et qui nous a paru charmante. Ce n'est rien, ce *Neveu d'Amérique,* et cela s'écoute avec infiniment de plaisir, tant cela est franc, bravement enlevé, écrit de verve. »

Larochelle a son idée : le gentil succès du *Neveu d'Amérique* ne sera rien face au triomphe qui accompagnera *Le Tour du monde.* Mais le travail avec Édouard

Cadol n'ayant produit que l'ébauche d'une pâle œuvrette, il est temps de remplacer ce piètre collaborateur par un homme de plus d'envergure. Larochelle désigne Adolphe d'Ennery, un dramaturge qui connaît son métier. À soixante-trois ans, ce littérateur renommé est un élégant dandy aux cheveux blancs et à l'épaisse moustache auburn qui a derrière lui une longue liste de mémorables réussites. On lui doit des comédies et des livrets d'opéra, des vaudevilles et des mélodrames dont *Les Deux Orphelines* restent l'archétype, mais il a également assis sa réputation sur de brillantes adaptations pour la scène de romans populaires comme *La Case de l'oncle Tom* et *Le Juif errant.*

Pendant que Larochelle sollicite d'Ennery et tente de le décider à composer la pièce que Cadol n'est pas parvenu à terminer, Jules Verne est à Amiens où il s'apprête à effectuer son baptême de l'air... Le 28 septembre, Eugène Godard – collaborateur de Nadar pour l'ascension du *Géant* dix ans auparavant – fait gonfler place Longueville *Le Météore,* petit ballon de deux cent soixante-dix kilos. Dans la nacelle, autour de l'aérostier, ont pris place Jules Verne, le député Albert Deberly et un singe nommé Jack...

À 17 h 24, devant une foule sidérée, le ballon prend son envol. À l'ultime instant, le fils Godard, gamin de neuf ans passionné d'aéronautique, saute à bord... Le ballon déjà s'élève vers l'azur, impossible de renvoyer le marmot. Ce poids supplémentaire oblige les passagers à sacrifier deux sacs de lest. Mais le lâcher de sable ne suffit pas pour grimper aisément, alors on précipite vers les abîmes le singe Jack, judicieusement muni d'un parachute. Quatre minutes plus tard, les téméraires aventuriers sont à huit cents mètres de haut dans le ciel d'Amiens. Encore quelques instants et les voilà évoluant au-dessus des marécages près de Longueau. Mais le ballon, trop chargé, perd irrémédiablement de l'altitude...

– Descendrons-nous dans ce marais ? interroge Jules Verne, anxieux.

Godard le rassure. En cas de besoin, il sacrifiera son sac de voyage. Il faut à tout prix franchir ces étendues bourbeuses. *Le Météore* descend toujours, on dépasse les marais, on passe au-dessus d'une cheminée d'usine, on franchit une rivière, la terre se rapproche...

Godard lance le guiderope, la corde destinée à freiner la course du ballon et il sort l'ancre qui touche le sol à 17 h 47. L'odyssée est déjà terminée.

Le Journal d'Amiens demande au célèbre auteur d'écrire quelques pages sur son excursion dans les airs, compte rendu auquel Jules Verne donne pour titre *Vingt-Quatre Minutes en ballon,* clin d'œil amusé à ses célèbres *Cinq Semaines en ballon.* « La vue de la ville était magnifique, écrit-il. La place Longueville ressemblait à une fourmilière de fourmis rouges et noires, celles-ci civiles, celles-là militaires ; la flèche de la cathédrale s'abaissait peu à peu, et marquait comme une aiguille les progrès de l'ascension. En ballon, aucun mouvement, ni horizontal, ni vertical, n'est perceptible. L'horizon paraît toujours se maintenir à la même hauteur. Il gagne en rayon, voilà tout, tandis que la terre, au-dessous de la nacelle, se creuse comme un entonnoir. »

Jules Verne a été heureux de cette brève escapade dans le ciel, mais il préfère de loin le ballon imaginaire de *L'Île mystérieuse,* le roman dont il vient d'achever la première mouture et qui s'ouvre sur la course folle d'un aérostat emporté par les vents puissants d'une terrible tempête... À la terne réalité, il oppose toujours le délire et l'excès du fantastique.

Pressé par Larochelle qui attend avec impatience la forme théâtrale du *Tour du monde en quatre-vingts jours,* Jules Verne accepte, après maintes hésitations, de partir pour le cap d'Antibes où son collaborateur passe l'hiver.

En ce mois de janvier 1874, le ciel de Provence est d'un bleu immaculé et le climat d'une exceptionnelle douceur. Mais dans la somptueuse propriété où il est reçu, avec vue sur tout le golfe Juan, l'invité n'a guère le loisir de profiter des agréments de la Côte d'Azur : son hôte lui impose de se mettre au travail sans tarder.

Jules Verne est ébloui par l'aisance et l'autorité affichées par Adolphe d'Ennery. En fait, sous sa bonhomie d'adaptateur, le collaborateur est un maître terriblement exigeant. Il ajoute un personnage, l'Américain Archibald Corsican, et lui donne un rôle primordial dans la pièce, il découd les scènes, réinvente les dialogues... L'auteur se souviendra des leçons prodiguées par d'Ennery en expliquant à un journaliste amiénois les motifs des infidélités au roman et les causes de l'intrusion inattendue d'un Yankee :

– Il était nécessaire pour nourrir l'intrigue. Il faut au spectateur ce qui importe relativement peu au lecteur : des personnages en conflit, de la lutte, de l'action[1].

Au cap d'Antibes, le pièce prend forme, mais l'invité est de plus en plus mal à l'aise. D'Ennery représente tout ce que Jules Verne déteste : la mondanité précieuse, la littérature de salon, le parisianisme affecté. Et puis il y a Gisette, la femme du dramaturge. Sexagénaire maquillée comme une châsse, elle traite son mari de « charogne » et n'arrête pas de proférer d'affreux jurons, lançant à tout bout de champ de tonitruants « Nom de Dieu » ! Jules fait des efforts désespérés pour supporter cette atmosphère qui l'étouffe et surmonter l'horreur que lui inspire ce couple insensé : il sait que l'avenir de la pièce est entre les mains de son collaborateur. Il résiste et se tait, mais son corps se manifeste : il a mal à la gorge des mots qu'il ne peut exprimer, il souffre d'un abcès à l'oreille de tout ce qu'il ne veut pas entendre et la paralysie faciale lui déforme le visage.

Les cinq actes du *Tour du monde* sont bientôt bouclés et Larochelle proclame son intention de monter la pièce au prestigieux théâtre de la Porte Saint-Martin. C'est alors que le premier collaborateur, le médiocre Édouard Cadol, fait un retour fracassant. Son adaptation brouillonne a été refusée, mais il a pris soin d'enregistrer le titre et le thème auprès de la Société des auteurs dramatiques... Juridiquement, il est donc propriétaire de la version scénique du *Tour du monde en quatre-vingts jours* ! Pour faire reconnaître

---

1. *Journal d'Amiens,* interview de Jules Verne par Pierre Dubois, 1er avril 1893.

ses droits, il publie une lettre ouverte dans *Le Figaro,* missive grincheuse où il s'attribue le mérite de la pièce et du roman. Personnages et situations, tout serait du pur Cadol ! Personne n'y croit, bien sûr, mais Jules Verne est outré. Il répond : « Cadol n'a pas inventé un seul fait, pas un dénouement, pas un caractère, pas un type... Cadol est froissé dans son amour-propre. Je le comprends. Mais il ne s'est donné aucune peine et je n'ai trouvé aucune aide en lui. Il dit qu'il a écrit les vingt tableaux, c'est vrai, mais il ne dit pas que c'est après que je les avais tous écrits moi-même, et que son travail n'a été fait que sur le mien. »

Il faut trouver une solution à une situation totalement bloquée. Dans le cas contraire, Phileas Fogg risquerait de ne jamais monter sur les planches. Impatient d'en finir, craignant de se lancer dans un procès long et coûteux, tremblant à l'idée de voir son nom traîner dans les rubriques judiciaires, Jules Verne consent au pire des compromis : il accepte de partager sa part de recettes avec le collaborateur évincé. Hetzel s'indigne de cet accord : la portion de l'auteur sera réduite à un quart des droits (une moitié pour d'Ennery et l'autre moitié divisée entre Verne et Cadol). L'auteur, fatigué par ces imbroglios financiers, balaye ces complications d'une remarque fataliste :

– Bah, ce quart dont vous vous moquez est encore intéressant !

Avec son éditeur comme avec ses associés occasionnels ou avec ses traducteurs étrangers, Jules Verne ne sait jamais défendre ses intérêts. Sa production romanesque lui permet à présent de vivre confortablement et cela lui suffit. Plus que l'argent, il voudrait obtenir la reconnaissance littéraire, mais cette satisfaction lui est refusée. Il s'en ouvrira franchement devant un journaliste américain venu l'interviewer :

– Je ne suis pas et n'ai jamais été homme à gagner de l'argent. Je suis homme de lettres et artiste, vivant à la poursuite d'un idéal, me jetant sauvagement sur une idée, et brûlant d'enthousiasme pour mon travail et, quand il est terminé, je le mets de côté, oubliant tellement tout que souvent je m'assieds à mon bureau, prends un roman de Jules Verne et le lis avec plaisir. J'aurais attaché un million de fois plus de prix à un peu de justice de la part de mes compatriotes qu'aux milliers de dollars que les livres auraient dû me rapporter en fait. C'est ce que je regrette et regretterai toujours [1].

L'Académie d'Amiens lui offre pourtant un baume sur son ego blessé et une merveilleuse satisfaction d'amour-propre : le 22 mai 1874, il peut lire devant cette assemblée choisie sa *Monna Lisa,* un acte en vers écrit vingt ans auparavant. Ainsi, au moment où il connaît l'apogée de son triomphe avec *Le Tour du monde,* il songe encore avec quelque nostalgie à ses œuvres de jeunesse demeurées à jamais ignorées.

Le même jour, il est nommé membre d'une commission amiénoise destinée à examiner le projet du statuaire Gédéon de Forceville qui se propose de réaliser une œuvre monumentale à la gloire de la

1. « Jules Verne at Home », par Robert Sherard, *McClure's Magazine,* janvier 1894. (Traduction française parue dans le *Magazine littéraire,* octobre 1990.)

région : *Les Illustrations picardes.* Le sort de cet ouvrage, l'emplacement qui lui sera destiné dans la ville occuperont encore longtemps population et élus. Pour déterminer plus aisément le lieu idéal où devrait s'élever la statue, la municipalité a fait confectionner une maquette de carton qui passe d'un square à une place, d'une rue à un boulevard... Au grand amusement des Amiénois qui ne se privent pas de brocarder le conseil municipal et sa sculpture itinérante.

Retour à Paris, au soir du 7 novembre 1874, pour la première du *Tour du monde en quatre-vingts jours,* événement fort couru de la saison théâtrale. On s'y précipite, non pour découvrir un texte littéraire mais pour assister à une féerie. Un véritable éléphant, des boas articulés, une locomotive en carton-pâte lâchant des panaches de fumée, un navire voguant sur les eaux du canal de Suez, une attaque de Peaux-Rouges, une cérémonie religieuse hindoue, des danses javanaises, une multitude de figurants animant des tableaux exotiques assurent le succès. L'assistance est à la fête mais la critique, une fois de plus, fait la fine bouche. Le redoutable Francisque Sarcey, chroniqueur théâtral du *Temps,* regrette « ce goût du public pour le plaisir grossier du costume et du décor. »

Durant une année entière, le théâtre de la Porte Saint-Martin jouera la pièce à guichet fermé ; plus tard, le spectacle émigrera au Châtelet où il jouira encore d'un succès régulier durant fort longtemps, faisant rêver des générations de spectateurs. L'œuvre accomplit également son tour du monde, elle est montée à Bruxelles, à Londres, à Berlin, à New

York... La manne des droits d'auteur fond sur d'Ennery, Verne et l'intrigant Cadol. Durant la glorieuse année où la pièce triomphe sur les boulevards, Jules Verne, avec sa part réduite au quart, touche près de cinq mille francs par mois, cinq fois plus que ce que lui verse l'éditeur pour ses ouvrages !

D'ailleurs, il est temps pour Hetzel de signer un sixième contrat avec son auteur devenu une valeur sûre et une célébrité mondiale. Le 17 mai 1875, Jules Verne obtient enfin une part sur le tirage de ses livres : « Le succès de M. J. Verne ayant grandi à la suite de la publication du *Tour du monde en quatre-vingts jours,* MM. J. Hetzel et Cie, désireux de faire partager M. Jules Verne au succès croissant de son œuvre, lui ont déclaré, il y a quelques mois, que leur intention était de renoncer au bénéfice du traité du 25 septembre 1871 qui devait se terminer en 1881, et avait encore plus de six ans à courir, et l'ont engagé, de son côté, à renoncer au système du revenu fixe préféré par lui jusque-là et à s'associer au succès de ses œuvres futures par la perception d'un droit d'auteur fixé sur le chiffre des exemplaires vendus. » Désormais, l'auteur perçoit cinquante centimes par ouvrage débité et cinq pour cent du prix de vente des éditions illustrées pour les premiers vingt mille, dix pour cent au-delà. Cela pour les romans futurs, car l'éditeur conserve « la propriété pleine et entière » des titres déjà publiés, dépouillant Jules Verne du produit de son travail passé.

En ce qui concerne les éditions illustrées, l'auteur voudrait obtenir un droit fixe de dix pour cent dès le premier tirage. Pour une fois, il ose s'en ouvrir à l'éditeur : « Je sais bien que vos frais sont considérables sur une édition illustrée, mais aussi ce doivent être ces éditions qui vous rapportent le plus. Et ce seront celles qui me rapporteront le moins. J'ignore, d'ailleurs, quelle a été l'importance du tirage des illustrés que vous avez publiés jusqu'ici. Et par conséquent les chiffres me manquent pour discuter utilement... Je fais cette observation, mon cher Hetzel, pour que, de part et d'autre, nous ayons tout dit et tout envisagé... Enfin, pensez-y, en tout cas, et sauf observation, je n'ai rien à dire des autres conditions du traité, et, si ma demande ne vous paraît pas acceptable, je le signerai tel quel. » En effet, Hetzel refuse de céder et Jules Verne s'empresse de parapher ce contrat afin de retrouver au plus vite les personnages de ses romans.

Pour l'heure, il est lancé avec Michel Strogoff sur les routes de Sibérie. Le jeune capitaine traverse un empire en révolte pour prévenir le grand-duc, frère du tsar, d'un complot tramé contre sa personne. De Moscou à Irkoutsk, les dangers sont multiples et les terribles Tartares poursuivent impitoyablement le héros... Ce sujet inquiète le vigilant Hetzel, craignant la réaction des lecteurs russes. Est-il bien judicieux d'évoquer les soulèvements qui menacent le trône des Romanov ? Pour ne pas commettre d'impair, l'éditeur demande audience à l'ambassadeur de Russie à Paris, le prince Nicolaï Orlov. Le diplomate accepte de recevoir l'éditeur et l'auteur pour une lecture, mais il a bien d'autres soucis et il écoute d'une oreille distraite les démêlés de Michel Strogoff. Il ne croit guère au succès d'un roman se déroulant à travers les immensités russes. Au moment de prendre congé, Son Excellence se contente de marmonner :

– La montagne accouchera d'une souris...

En revanche, Jules Verne bénéficie, par l'entremise de l'éditeur, des conseils éclairés et des informations précises d'Ivan Tourgueniev, le célèbre écrivain russe établi en France depuis une dizaine d'années. Et puis, il subit, comme à l'accoutumée, la prude censure d'Hetzel. Quand Strogoff doit endurer son supplice, « aveuglé suivant la coutume tartare, avec une lame ardente passée devant ses yeux », son ennemi lui permet, dans un dernier regard, de contempler la danse d'une jeune Tzigane accompagnée d'un gratteur de mandoline qui fredonne une chanson d'amour :

Tu pars, comme tes yeux sont tristes !
Ton jeune cœur semble hésiter ?
En vain, tu lui résistes !
Il te dit de rester !

Sur le manuscrit, l'impitoyable éditeur barre le poème d'un grand trait. Le lecteur ignorera donc tout de la romance qui accompagne Michel Strogoff dans son calvaire. Sans doute la longue transcription du poème ralentissait-elle l'action, mais Hetzel redoute surtout la réaction des familles : il ne peut tolérer une complainte galante dans un écrit pour la jeunesse !

Pendant que, dans son petit bureau du boulevard Longueville, Jules Verne court à travers la Russie, il mène à Amiens une vie sociale active qui lui permet de s'ancrer dans la cité. Il a renoncé aux honneurs parisiens mais veut se couler avec délice dans le rôle du notable provincial. Ici, il n'a pas à se battre pour s'imposer, il n'a pas de véritables rivaux, il règne seul dans les azurs de la célébrité mais demeure quelque peu isolé. Pour l'année 1875, il a été nommé directeur de l'Académie. À ce titre, il doit recevoir le dernier élu, l'avocat Gustave Dubois, tâche dont il s'acquitte avec grâce, profitant de l'occasion pour remercier ses collègues tout en déplorant de ne pas être encore totalement intégré dans les hautes sphères locales :

– Presque nouveau dans votre ville où, d'ailleurs, j'ai trouvé l'accueil le plus sympathique, je connais peu les notables amiénois...

Et puis, faisant l'éloge du récipiendaire, il exerce son humour sur une profession qui a bien failli être la sienne :

– Le jour, monsieur, où Dieu eut imaginé un être vertébré, carnivore et bimane, il avait presque créé l'homme. Le jour où il accordait à ce nouvel être une glotte organisée pour l'émission de sons réguliers, il lui donnait plus spécialement la faculté de devenir avocat.

Un peu plus tard, au mois de juin, il reçoit à l'Académie le dessinateur Gédéon Baril, un Amiénois qui a vécu à Paris la vie de bohème, qui a crayonné les costumes des opérettes d'Offenbach et des caricatures dans les journaux de la capitale avant de revenir dans sa province à la veille de la guerre. Verne a rencontré cet homme imaginatif au sein de la rédaction du *Journal d'Amiens* – là où ont été publiées ses *Vingt-Quatre Minutes en ballon* – et il lui soumet parfois le thème de ses travaux en cours pour lui demander le secours de son inspiration.

Pour sa réception au sein de l'auguste assemblée, Baril a abandonné la tenue de rapin négligé qui est la sienne d'ordinaire et a revêtu un frac sombre qui amuse fort son ami Jules Verne :

– Ce n'est plus Gédéon ! C'est Monsieur G. Baril, cravaté de blanc, habillé de noir, qui nous fait l'honneur d'assister à cette séance... L'ancien Gédéon a-t-il donc été attaqué du phylloxéra académique ?

Le 12 décembre 1875, Jules Verne doit clore l'année académique par un discours prononcé en séance publique. Plutôt que de faire un exposé savant – dont il se juge bien incapable – il compose une petite nouvelle futuriste, *Une ville idéale,* dans laquelle il entrevoit Amiens à cent vingt-cinq ans de distance, en l'an 2000 !

Allègrement, il reprend quelques éléments de son roman *Paris au XXe siècle* qu'Hetzel avait refusé jadis et qui traîne toujours dans ses tiroirs. Il y puise l'idée d'un « concert électrique » retransmis simultanément dans plusieurs villes du globe et répète ses inquiétudes d'un enseignement entièrement tourné vers les matières scientifiques au détriment des arts et de la culture.

Au-delà de cette fiction, il témoigne son attachement pour la ville et, par le biais du conte fantastique, se permet quelques critiques amicales. Amiens en l'an 2000 sera une cité florissante : les hideuses masures autour de la cathédrale auront fait place à des maisons élégantes, les rues seront droites et reluisantes, les moyens de transport efficaces et rapides, *Les Illustrations picardes,* le monument dû au ciseau de Gédéon de Forceville, auront enfin trouvé un socle, place Montplaisir[1].

1. Actuelle place Joffre. En 1878, la sculpture sera placée rue

La ville a tellement changé que le visiteur venu du passé a peine à la reconnaître, mais son guide lui assure qu'il a changé d'époque, non de lieu : « Ah ! si nous avions le temps de monter à la flèche de la cathédrale, vous reconnaîtriez bien la capitale de notre Picardie, défendue maintenant par ses forts détachés !... Vous reconnaîtriez ces boulevards extérieurs, qui franchissent la rivière sur deux ponts magnifiques et lui font une verdoyante ceinture ! Vous reconnaîtriez la ville industrielle, qui s'est si rapidement développée sur la rive droite de la Somme... »

Et Jules Verne continue ainsi. Il passe d'une fantaisie débridée – imaginant un impôt sur le célibat – à une vision plus sérieuse d'une cité moderne – avec jardins bien entretenus et artères parfaitement éclairées la nuit venue... Quand il achève sa causerie, les applaudissements nourris de l'assistance lui font entrevoir qu'un jour, peut-être, il devra se lancer dans l'action municipale pour participer à l'édification de cette ville idéale dont il a, durant quelques instants, partagé le rêve avec ses concitoyens.

Duthoit. L'année suivante, elle sera transférée de quelques mètres, sur un terrain attenant. Elle n'en bougera plus durant presque un siècle. En 1959, Les *Illustrations picardes* seront enfin installées sur l'emplacement souhaité par Jules Verne.

X

GLOIRE ET AMERTUME

Au moment où s'achève cette année 1875, Jules Verne reçoit la visite d'un journaliste polonais. Celui-ci vient interviewer son compatriote... le juif Julius Olszewicz, né à Plock au bord de la Vistule, dissimulé sous l'apparence du très chrétien romancier breton Jules Verne !

L'écrivain n'est pas trop surpris. En septembre puis en novembre dernier, il a reçu deux lettres d'un certain Herman Olszewicz, un inconnu se présentant comme son frère. Dans ses courriers, le correspondant développait une histoire à la fois saugrenue et embrouillée. Il lui parlait d'un Julius disparu depuis trente-six ans, d'une conversion, d'un mariage manqué... Quel lien avec Jules Verne ? En langue gauloise, expliquait Herman, le mot *vergne,* devenu *verne,* désigne l'aulne. Or, en polonais, cet arbre des régions humides se dit *olszo*... Le lien entre Verne et Olszewicz paraît évident !

Jules est donc le frère perdu depuis si longtemps, le juif fuyant les pogromes pour revêtir une nouvelle identité. Tout est clair : Julius a renié la religion de ses pères, il a accepté le baptême à Rome, auprès de la congrégation polonaise des pères résurrectionnistes, puis il a voulu épouser une belle princesse varsovienne, mais le mariage ne s'est pas fait et le converti a gagné la France où il a rencontré la gloire tout en cachant soigneusement ses origines.

Les divagations d'Herman sont évidemment nées du désir acharné de retrouver un frère disparu. Il est d'autant plus sûr de son fait qu'au Vatican, les résurrectionnistes lui ont confirmé avoir converti, en 1861, un Julius Olszewicz qui adoptait alors le patronyme francisé de Julien de Verne... À cette époque, Jules Verne n'existait pas encore dans la littérature et ce nom d'emprunt ne pouvait gêner personne. Sans prendre la peine de vérifier les faits, sans se douter du quiproquo, tout à son bonheur d'avoir retrouvé un frère devenu célébrissime, Herman clame partout le lien familial qui l'unit à l'éminent auteur !

Au journaliste polonais venu rencontrer un compatriote, Jules Verne fait dans le second degré. Oui, il est juif polonais, oui il a voulu épouser une princesse... Il en rajoute même dans le romanesque : il a enlevé sa bien-aimée mais, hélas ! après une querelle d'amoureux, elle s'est jetée avec exaltation dans le lac Léman où elle s'est noyée. Le nom de la belle ? Cracowitz, répond l'écrivain imperturbable. Jeu de mots qui échappe sans doute au folliculaire polonais : il faut y entendre, bien évidemment, une allusion aux « craques » – aux blagues – que débite Jules Verne devant son visiteur. Au moment de prendre congé, l'auteur lance encore sur le ton de la confidence :

– Silence sur tout cela, je tiens à passer pour chrétien !

Histoire absurde dont on pourrait rire si, au cours des semaines et des mois suivants, elle ne prenait pas, dans l'esprit de Jules Verne, une importance excessive. Le caractère inquiet et neurasthénique de l'écrivain s'accroche à cette anecdote avec une hantise qui tient vite du délire. À Hetzel, à ses amis, au monde entier il se croit obligé de rappeler sa naissance en Bretagne, sa mère venue de Morlaix, son père de Provins... La fable du juif polonais le met dans un tel état de transe qu'elle vient nourrir une obsession antisémite déjà développée dans *Martin Paz,* plus de vingt ans auparavant. Pour l'heure, il est attelé à *Hector Servadac,* une aventure où un fragment d'humanité se retrouve emporté sur une comète pour un voyage autour du système solaire, sous la houlette du Français Servadac dont le nom, lu à l'envers, dissimule des cadavres. Dans ces pages, Jules Verne développe d'une plume empoisonnée le personnage du « plus rapace des usuriers », le juif Isac Hakhabut « renégat de tous les pays et de toutes les religions... Souple d'échine, plat de cœur, rogneur d'écus ». En surchageant sa caricature haineuse, l'auteur pense se prémunir contre ceux qui s'acharnent à le prendre pour Julius Olszewicz et mettre fin à cette ridicule méprise.

Lorsque l'éditeur a le manuscrit entre les mains, il est effaré. Quelle hargne ! Quelle animosité ! Il veut, comme il le fait si souvent et pour des sujets si divers, atténuer les exubérances verniennes, supprimer quelques lignes outrancières. Mais l'auteur n'autorise pas une seule retouche à son portrait d'usurier.

Au moment de la parution de l'ouvrage en feuilleton dans le *Magasin d'éducation et de récréation,* le grand rabbin de Paris, Zadoc Kahn, adressera le 3 juin 1877 une lettre de protestation à l'éditeur : « M. Jules Verne s'est plu à reproduire une fois de plus le type si neuf et si original du juif usurier ; j'aurais pensé qu'un talent ingénieux et inventif comme le sien dédaignerait des moyens aussi usés d'amuser le lecteur... Je crains bien que pour plus d'un jeune lecteur de M. Jules Verne, le juif, même le plus honnête et le plus désintéressé (car il en existe, Dieu merci), ne reste toujours une espèce d'Isac Hakhabut. Est-ce cela qu'a voulu le célèbre écrivain ? Je craindrais lui faire injure par cette seule supposition. »

Trois jours plus tard, Pierre-Jules Hetzel tentera de se justifier dans un courrier adressé à son propre fils devenu son associé : « J'avais prévenu Verne, j'avais atténué plus d'un passage, mais il s'est acharné sur de piteux personnages... »

La violence de la réaction de Jules Verne devant l'insistance d'Herman Olszewicz résulte aussi d'une humeur dépressive devenue chronique. L'écrivain a quarante-huit ans, il est célèbre, presque riche, mais il sait maintenant qu'il ne réalisera jamais ses rêves d'enfant. Il ne sera pas marin au long cours, il ne sera pas poète romantique. Pour le restant de sa vie, le voilà condamné à lancer des héros à travers le globe sur des machines abracadabrantes... Il y a de quoi en être malade ! Il est perpétuellement fiévreux, la gorge enflammée, les gencives purulentes, les muscles douloureux. Et sa boulimie ne fait que se radicaliser : à l'heure des repas, il s'attable, assis sur une petite chaise basse qui lui permet d'avoir la bouche au niveau de son assiette... Dans cette position incongrue, sans prêter attention à ce que contiennent les plats, sans geste inutile, presque sans mâcher, il engloutit promptement tout ce que lui sert Honorine.

Hetzel, qui n'ignore rien des ambitions littéraires de Jules Verne, tente périodiquement de le rasséréner en lui promettant une prochaine et brillante élection à l'Académie française. Il a déjà au moins deux alliés dans la place, le vieil écrivain Ernest Legouvé et l'ami Alexandre Dumas fils. Tous deux promettent de faire campagne pour le romancier le moment venu. Mais à chaque fauteuil vacant, Hetzel atermoie, invoque mille prétextes pour dissuader Jules Verne de se présenter sous la Coupole : « Il faut être candidat le moins souvent possible ; et une seule fois, avec le succès au bout serait la seule chose qui m'irait pour vous », écrit-il. Que de débats avant chaque élection ! Dumas réitère ses offres, presse son ami de se présenter, Legouvé attend et espère... mais, pour Hetzel, ce n'est jamais l'occasion attendue. Ou les jeux sont faits d'avance, ou les postulants sont trop nombreux, ou ils sont trop puissants... Au fond, Hetzel ne croit pas vraiment aux chances de son auteur. Il se contente d'agiter le hochet de la gloire pour le stimuler et le réconforter. Jules Verne n'est pas tout à fait dupe ; même s'il ne cesse de caresser ce rêve, il bougonne rageusement à chaque fois que le sujet revient dans la conversation :

– On n'arrive pas à l'Académie avec des livres pour les enfants !

Écrivain insatisfait, Jules Verne est aussi un père déçu. Dans la maison, où naguère retentissaient les cris de la marmaille, ne règne plus que le silence. Les enfants sont partis. Valentine et Suzanne, les deux filles d'Honorine, se sont mariées. La première avec le capitaine Albert de Francy qui s'en est allé faire une carrière militaire dans toutes les villes de garnison jusqu'à Alger, la seconde avec Georges Lefebvre, un représentant de commerce d'Amiens.

Quant à Michel, fils désobéissant, coléreux, bagarreur, dépensier, rebelle, il donne depuis longtemps du fil à retordre à ses parents. On a même consulté le Dr Émile Blanche, un aliéniste de grande réputation qui a prodigué ses soins au gamin révolté, mais sans grand résultat. Que faire de cet impossible garnement que nulle autorité ne parvient à mater ? Étouffé par l'ombre d'un père trop célèbre, le gamin pense au suicide... Jules Verne, adepte des méthodes fortes, l'envoie pour une année scolaire au « collège de répression » de Mettray près de Tours, établissement destiné aux enfants indociles. Là encore, les éducateurs finissent par baisser les bras. En désespoir de cause, Michel est placé à l'internat du lycée de Nantes. Le milieu familial des tantes et des oncles de Bretagne adoucira peut-être un peu le caractère perturbé de l'indomptable rejeton.

Les parents, qui font souvent le voyage pour rendre visite à leur fils, louent un petit pied-à-terre nantais, au 1, rue de Suffren, et Jules qui, jadis, a tout fait pour fuir la ville de son enfance semble renouer avec sa famille des liens distendus. Si Michel l'exaspère et l'inquiète, il a des relations de vieux tonton gâteau avec Gaston, l'aîné de son frère Paul, et bientôt avec un camarade de son fils, Aristide Briand, le futur homme politique et ardent partisan de la Société des

Nations. Il emmène les marmots au théâtre, en promenade, et les fait naviguer sur le *Saint-Michel II,* un yacht tout neuf venu prendre la place de la vieille chaloupe de pêche du Crotoy.

Jules Verne cherche un fils idéal, mais cet enfant parfait il ne le trouve qu'à travers l'écriture. Il rédige *Un capitaine de quinze ans* précisément au moment où Michel atteint cet âge-là et invente Dick Sand, l'enfant rêvé, beau comme un jeune dieu, mûr, cultivé, habile et résolu. Quinze ans... année difficile où l'enfant devient adulte, instant où les parents se trouvent soudain face à un être indépendant qu'ils doivent apprendre à connaître, à aimer, à comprendre. Pour Jules Verne comme pour tous les autres pères, la vie est là, présente et changeante, pour signifier que l'existence n'est pas un songe mais une réalité avec ses déceptions et ses espoirs.

Au cours d'un de ses séjours à Nantes, en avril 1876, la pauvre Honorine tombe malade, sans doute minée par le comportement de son fils et la froideur de son mari. Une hémorragie d'origine inconnue fait craindre le pire. Le couple rentre précipitamment à Amiens où les médecins consultés ne peuvent qu'avouer leur impuissance.

L'époux désemparé se réfugie dans le travail. Il écrit *Les Indes noires,* roman sur les mines de charbon en Écosse dans lequel il place les souvenirs de son voyage au pays de Walter Scott dix-sept ans plus tôt. Hetzel n'est pas très convaincu par le manuscrit et il remanie allégrement les derniers chapitres. Il ajoute un peu de sentiment, des personnages plus fouillés, à tel point que bientôt l'auteur ne reconnaît plus son travail. Docile, il accepte cette refonte et laisse l'éditeur triturer son texte.

Pendant ce temps, les praticiens au chevet d'Honorine ne parviennent pas à enrayer le mal. L'état de la patiente s'aggrave, elle paraît perdue, bientôt on ne lui donne pas plus de quarante-huit heures à vivre. Elle se confesse et reçoit l'extrême-onction. À tout hasard, une transfusion est prescrite, technique risquée qui peut hâter la mort de la patiente. Le gendre, Georges Lefebvre, accepte bien volontiers de donner son sang... et la moribonde se rétablit.

Cette maladie si soudaine et si menaçante rapprochera Jules et Honorine. Désormais, le mari se fera un peu plus attentif et il donnera à sa femme quelques satisfactions, acceptant de recevoir un peu de monde dans la maison du boulevard Longueville, ébauchant même une vie sociale en tenant salon tous les mercredis. Et l'on verra les Verne, au piano, improviser de petits concerts pour quelques amis réunis.

Durant toute cette terrible année 1876, *Michel Strogoff* paraît à la fois en feuilleton dans le *Magasin d'éducation et de récréation* et en deux volumes placés en librairie le premier au mois d'août, le second en novembre. Les lecteurs ne retrouvent pas les machines cocasses et les savants fantasques qui font, d'ordinaire, les succès de Jules Verne, l'ouvrage est un pur roman d'amour et d'aventure, ce qui n'empêche pas les Français, si curieux de tout ce qui se passe en Russie, de se passionner pour cette grande fresque à la mesure d'un empire.

Fin janvier 1877, *Le Docteur Ox,* nouvelle parue trois ans plus tôt, adaptée par le librettiste Philippe Gille, mise en musique par Jacques Offenbach, est créé au Théâtre des Variétés. Ce conte fantastique décrivant une ville calme dont les habitants sont stimulés par l'oxygène du bon docteur semble avoir été écrit pour en faire le sujet d'une opérette, genre chatoyant et un peu désuet qui a triomphé sous le Second Empire et continue à faire les beaux soirs de la IIIe République. Mais il ne suffit pas d'unir deux noms célèbres – Verne et Offenbach – pour attirer les foules. Les habitants de la cité du Dr Ox se réveillent, mais toute l'assistance s'endort. Le spectacle parvient péniblement à se maintenir pour une quarantaine de représentations avant de disparaître dans un sommeil dont personne ne voudra jamais venir le tirer.

Aussi indifférent que le public au sort de l'opérette, l'auteur a des préoccupations domestiques plus absorbantes. À Amiens, il s'est mis en tête d'offrir une grande fête afin de permettre à Honorine d'approcher la société de la haute bourgeoisie qui boude un peu la fille d'un modeste capitaine des cuirassiers. En effet, le célèbre écrivain est bien souvent invité dans le beau monde, mais seul. Il est temps de permettre à Mme Verne de tenir son rang.

En cette occasion, Jules se révèle grandiose. S'il n'a pas réussi à réveiller les spectateurs du Théâtre des Variétés, il va secouer un peu Amiens, « ville sage ». Trop sage ? Depuis trente-cinq ans, il n'y a pas eu un seul bal costumé dans toute l'agglomération ! Il est temps de s'amuser, de faire souffler un léger vent de folie sur la cité.

Les salons Saint-Denis[1] sont loués, sept cents invitations envoyées, quatre mille francs dilapidés... Trois cent cinquante personnes répondent favorablement : la soirée donnée par les Verne s'annonce comme le grand événement amiénois de l'année. Malencontreusement, quelques semaines avant la date fatidique, Honorine est sujette à une rechute de son mal mystérieux. Les hémorragies l'obligent à s'aliter à nouveau. Jules est plus ennuyé qu'inquiet : il est trop tard pour remettre le bal à une date ultérieure. Jusqu'au dernier moment, il espère que sa femme trouvera la force de se lever pour accueillir ses convives.

Le 2 avril 1877, la plupart des costumes des invités évoquent l'œuvre de Jules Verne. Tout un monde bigarré et imaginaire prend vie. L'obus du roman *De la Terre à la Lune* s'ouvre pour laisser apparaître Nadar jouant le rôle de son double Ardan, un Nemo sort d'un *Nautilus* en réduction, un capitaine Hatteras vêtu de lourdes fourrures tient enchaîné un faux ours, un Samuel Fergusson descend du plafond dans son ballon, et l'on voit encore le député Albert Deberly danser le quadrille déguisé en polichinelle et Georges Antoine, futur maire d'Amiens, se pavaner en marquis Louis XIII. Jules Verne qui n'est affilié à aucun parti, qui n'appartient à aucune coterie, a réussi le tour de force de réunir des industriels, des notables,

1. Dans ces salons, situés sur l'actuelle place René-Goblet, se tenaient toutes les grandes mondanités amiénoises. En 1904, ils ont été détruits par un incendie.

des artistes, tous de diverses tendances politiques et de milieux sociaux différents.

Mais Honorine, trop faible, anémiée par ses saignements continuels, ne peut accueillir ses hôtes et c'est sa fille, Suzanne Lefebvre, qui la remplace. Quelle importance ? Le bal costumé est brillant et se termine à six heures du matin dans une grande farandole. On boit du champagne, on rit et on danse, on saute par-dessus les fauteuils et on renverse les chaises...

L'écho de la fête se prolongera longtemps. Le chroniqueur du *Progrès de la Somme* reste ébloui devant « une richesse si variée étincelant sous les feux de lustres et se détachant comme un éblouissement sur le fond sévère des fracs noirs qu'avaient endossés les gens sérieux », et même des journaux de Paris évoquent cette nuit mémorable. L'austère Hetzel ne comprend pas cette débauche affichée, ce luxe tapageur, et reproche amèrement à son auteur de se perdre dans ces coûteuses puérilités. Jules Verne lui répond qu'il aurait évidemment préféré consacrer les quatre mille francs de la soirée à un voyage, mais que la vie de province a ses obligations : « J'ai donné *[ce bal]* afin que ma femme et mes enfants aient dans la ville la position qu'elles devaient avoir et qu'elles n'avaient pas. » Elles... Jules Verne pense à sa femme et aux filles d'Honorine qui cherchent obstinément toutes trois à entrer dans la haute société amiénoise. Mais il occulte totalement son fils car il est épouvanté par la manière dont Michel conduit sa vie. À seize ans, le garçon mène une vie dépravée, traînant dans des milieux interlopes à faire la fête, à boire et à accumuler les dettes.

Honorine s'est tout à fait rétablie, aussi le couple Verne embarque-t-il sur le *Saint-Michel II* pour aller passer l'été à Nantes. Dans le port, Jules tombe en arrêt devant le *Saint-Joseph,* un splendide yacht à vapeur à peine sorti des chantiers navals du Havre. Son propriétaire, le marquis de Préaulx, richissime excentrique, a décidé de revendre le bâtiment au plus vite et à moitié prix, pressé de s'en débarrasser pour en faire construire un autre, plus vaste encore.

Accompagné de son frère, Jules monte à bord : c'est le bateau dont il a toujours rêvé ! Paul jauge d'un œil professionnel les deux mâts, la haute cheminée et le pont long de presque trente mètres. Jules visite le salon aux boiseries d'acajou, la cabine tout en chêne clair, la salle à manger, la cuisine, le poste d'équipage... Comment résister à tant de merveilles ? Le marquis en veut cinquante-cinq mille francs, une belle somme. Jules Verne discute pour la forme, mais il cède. En décembre, le *Saint-Michel II* revendu, le *Saint-Joseph* peut devenir le *Saint-Michel III.*

Pour entretenir ce splendide navire et rétribuer les dix hommes d'équipage nécessaires, Jules Verne a encore besoin d'argent. De beaucoup d'argent. Il accepte de poursuivre pour son éditeur la collection des *Grands voyages et des grands voyageurs,* consent à retravailler avec Adolphe d'Ennery pour adapter à la scène *Les Enfants du capitaine Grant* et se lance dans un nouveau roman. Mais comment mener de front toutes ces activités ? Comment produire de la copie assez rapidement pour en recueillir immédiatement les fruits ?

En ce qui concerne la série des *Grands voyages,* il n'hésite pas à prendre un « nègre ». Comme il ne peut se permettre de perdre des journées entières en recherches historiques, le géographe Gabriel Marcel est chargé de réunir la documentation et de préparer une première version du texte. Le maître intervient ensuite, polit un peu le travail du collaborateur et impose sa patte au récit. Pour avoir le droit d'apposer le nom de Jules Verne sur la couverture, l'éditeur paye cinq mille francs par volume au célèbre auteur, somme sur laquelle l'inconnu ne touche modestement que sept cent cinquante francs en rétribution de son labeur anonyme.

Pour la pièce en gestation avec d'Ennery, Jules Verne invoque la mauvaise santé de son épouse et ses fréquents voyages à Nantes afin d'éviter de retourner au cap d'Antibes. Il écrit seul une première ébauche des dialogues et les adresse par la poste à son collaborateur avec mission de développer cette esquisse.

Quant au roman, il remanie purement et simplement un manuscrit acheté par Hetzel et signé André Laurie. Sous ce pseudonyme se cache Paschal Grousset, communard actif condamné à la déportation en Nouvelle-Calédonie, échappé du bagne pour se terrer en Angleterre. Selon Verne, Laurie-Grousset a raté son livre, les pages ne soutiennent pas l'attention du lecteur, les personnages sont ternes, l'intrigue décousue, l'action languissante. Et pourtant, l'aventure de ce Français et de cet Allemand obligés de se partager un héritage, construisant l'un une cité idéale, l'autre une immense usine à canons, séduit le prolixe auteur. Il reprend le texte de fond en comble et en fait *Les Cinq Cents Millions de la Bégum.* D'ailleurs, l'inspiration plus ou moins avouée de Paschal Grousset viendra au secours de Jules Verne à deux reprises encore : pour *L'Étoile du Sud* et pour *L'Épave du Cynthia,* roman co-signé cette fois par les deux hommes.

Absorbé dans ces multiples travaux, préparant aussi les prochaines croisières du *Saint-Michel III,* Jules Verne n'a ni l'envie ni le temps de s'occuper de Michel qui continue à mener son existence de débauche et à contracter des dettes. Pour en finir, il faut se résoudre à réclamer l'aide de la justice. Sur la demande parentale, le président du tribunal prononce l'incarcération par « correction paternelle », disposition permettant alors à un père de faire enfermer un fils récalcitrant ! Michel est conduit à la prison de Nantes entre deux gendarmes et doit patienter dans sa cellule jusqu'à ce que l'on parvienne à le faire embarquer sur un navire en partance pour le bout du monde...

Le paquebot choisi appareille pour les Indes. Le châtiment n'est pas inhumain : Jules fait réaliser par son fils son propre rêve d'enfance et Michel part avec ravissement pour une aventure de dix-huit mois. Est-ce par bravade qu'il ne demande à emporter que les œuvres de son père ?

Son oncle Paul le conduit à Bordeaux et le fait monter sur *L'Assomption* pour un voyage dont ni le capitaine, ni le fils, ni le père ne comprennent plus très bien s'il s'agit d'une pénitence, d'une croisière ou d'un apprentissage... Le jeune homme est enrôlé comme pilotin, c'est-à-dire élève officier de la marine marchande, mais on ne lui demande guère de suivre un quelconque enseignement : il aura sa cabine personnelle et prendra ses repas à la table du capitaine. De bien agréables conditions pour un périple censé mettre un peu de plomb dans la cervelle du jeune homme.

Le bateau lève l'ancre le 4 février 1878. À l'escale de l'île Maurice, un riche planteur, apprenant que le fils de Jules Verne est à bord, organise un banquet de deux cents couverts pour fêter dignement le capitaine Nemo, Phileas Fogg et Michel Strogoff qui semblent débarquer de *L'Assomption* en la seule personne du filiforme Michel Verne... Enfin le navire atteint Pondichéry et l'original Michel débarque sous le soleil indien vêtu d'une redingote et d'un haut-de-forme, innocente facétie que le fantasque garçon trouve du plus haut comique.

Au tout début du mois de juin 1878, pendant que le fils navigue sur les mers lointaines, le père part pour une croisière d'un mois afin d'inaugurer son *Saint-Michel III.* Sous le commandement du capitaine Ollive, il met le cap sur l'Afrique du Nord. À bord, autour de Jules Verne : Jules Hetzel, fils de l'éditeur, Me Edgar Raoul-Duval, conseiller juridique de la maison d'édition, et Paul, le frère inséparable. Dès le départ, la mer est si mauvaise qu'elle oblige le yacht à faire une halte espagnole imprévue à Vigo. Un navire de guerre français mouille en rade et Jules Verne est invité à monter à bord avec ses compagnons. En attendant que se calment les intempéries, le commandant leur propose d'utiliser les scaphandres pour suivre, sous les eaux, les traces du capitaine Nemo... Mais l'auteur estime qu'à cinquante ans ces jeux ne sont plus de son âge et seul Jules Hetzel accepte d'aller sonder les profondeurs marines.

Dès le lendemain, le soleil et la mer calme permettent de reprendre le périple. Jules Verne se retire régulièrement dans sa cabine pour lancer quelques idées sur le papier. Il ébauche l'histoire d'un riche américain ruiné qui cherche l'aide d'un inconnu pour réussir son suicide... En définitive, il trouve cette funeste résolution peu compatible avec le caractère audacieux des conquérants du Nouveau Monde. Il remanie son anecdote et la place au pays des mandarins, cadre qui lui permet mille descriptions de paysages exotiques. Ce sera *Les Tribulations d'un Chinois en Chine.*

Le *Saint-Michel III* poursuit sa route, il atteint Lisbonne, puis Cadix, Gibraltar, Oran et enfin Alger. Deux jours de visite autour de la casbah et retour par Sète où le voyage s'achève. Tout le monde remonte vers Paris par le train, sauf Paul Verne et l'équipage qui conduisent le yacht jusqu'à Nantes, son port d'attache.

L'été finit au Tréport où Jules Verne rejoint Honorine. Dans cette station balnéaire à la mode, l'écrivain se lie avec toute une branche de la famille d'Orléans. On le voit arpenter les quais au côté de Philippe, comte de Paris, petit-fils du roi Louis-Philippe, fringant aristocrate de quarante ans à la fine barbichette et à la large moustache. Grand voyageur, combattant anti-esclavagiste durant la guerre de Sécession, le comte de Paris est aussi l'auteur d'ouvrages sur l'Orient et l'Amérique. Les deux hommes partagent la même passion des voyages, la même curiosité des grands espaces. Gaston, comte d'Eu, gendre de l'empereur du Brésil, et Antoine, duc de Montpensier, dernier fils de Louis-Philippe, se joignent parfois à leurs discussions. Jules Verne, flatté de se retrouver en si noble compagnie, se déclare stupéfait de découvrir des personnalités riches et ouvertes. Pour un peu, il lui pousserait des ailes monarchistes. Mais qui croit encore à un retour de la royauté ? La République est solidement instaurée. D'ailleurs, au Tréport, le ton n'est pas au débat politique, force reste à la littérature et l'écrivain offre au comte de Paris le manuscrit de *Vingt Mille Lieues sous les mers.*

Décembre sera, pour Jules Verne, le mois des déceptions. D'abord, il reçoit de Michel une longue lettre envoyée le 28 novembre de Calcutta. Missive inquiétante pour le père anxieux car le fils tente de se justifier et de s'affirmer : « Il est bien triste de se voir entraîné, malgré soi, sans qu'effort ni aucune autre chose puisse y rien faire, loin de la famille, de son pays, et de tout ce qu'on aime. Enfin, c'est de ma faute, je n'ai rien à dire. Mais enfin n'est-ce pas une tyrannie sans nom de la pensée, du sentiment c'est-à-dire du cerveau et du cœur ; de tout ce qu'il y a de sacré dans un être pensant ? Cette tyrannie je dois la supporter sans murmure puisque je l'ai méritée. Mais si je pouvais la rompre je saurais bien prouver par l'usage que je ferais de ma liberté matérielle que je suis digne de la liberté morale... »

Est-ce le terme de « tyrannie » qui bouleverse Jules Verne ? Est-ce le ton incroyablement décidé chez un garçon de dix-sept ans ? Toujours est-il qu'il confie à Hetzel avoir reçu « la lettre la plus horrible qu'un père puisse recevoir », réaction quelque peu démesurée. Les relations entre le père et le fils ne répondent pas toujours à des faits établis et réels mais à une sensibilité à fleur de peau de part et d'autre.

Et puis, quelques semaines plus tard, autre désappointement : la première des *Enfants du capitaine Grant* au théâtre de la Porte Saint-Martin, le 26 décembre, ne remporte pas le succès escompté. Public et critique ont un peu l'impression de se trouver devant une piètre imitation du *Tour du monde.* Mauvaise et interminable doublure : la représentation se prolonge jusqu'à deux heures du matin, lassant les amateurs les plus fanatiques, malgré une chasse à la baleine en musique et des décors impressionnants. Cahin-caha, le spectacle se poursuit jusqu'au mois de mars avant d'être définitivement retiré de l'affiche.

Le malheureux auteur est bientôt assailli par de nouveaux tourments paternels. Au cours d'une algarade à bord de *L'Assomption,* Michel a frappé le commandant en second... Informé par lettre de cet acte de rébellion, le père s'empresse de donner tort à son fils, mais il tente tout de même d'atténuer la rigueur disciplinaire, expliquant que le garçon est parfois saisi de violentes crises qui lui font perdre le contrôle de ses nerfs : « En de certains moments, il n'a plus sa tête, et cela peut le mener très loin. » Il veut bien que l'on punisse le coupable, mais sans trop de sévérité. Combien de fois a-t-il essayé la manière forte sans succès ? Il ne croit plus que Michel puisse s'amender et il pense que le gamin est définitivement atteint de démence et que rien ne parviendra à le ramener à la raison.

Jules Verne est las de toutes ces contrariétés. Fatigué de sa famille et de son œuvre. Il rêve de liberté. Ni femme ni enfant ni roman, mais une fuite sans retour vers des horizons infinis... « Ah ! si toi et moi nous étions libres, libres, libres... Quelle vie ! » écrit-il à son frère.

Les réflexions épistolaires de son fils, la plus petite réserve de son éditeur, la moindre critique prennent désormais des dimensions exorbitantes. Michel reste insoumis malgré son embarquement forcé. Hetzel n'est pas entièrement satisfait du dernier manuscrit de son auteur fétiche, *La Maison à vapeur*. Émile Zola, dans *Le Figaro littéraire,* vient d'attaquer les romans verniens, « genre qui me paraît devoir fausser toutes les connaissances des enfants ». Jules Verne ressasse ses difficultés et les quelques revers rencontrés en librairie ou au théâtre. Ses déconvenues masquent à ses propres yeux sa brillante réussite et il contemple avec désolation l'échec de sa vie.

L'auteur songe à se retirer. Parfois, il lui prend l'envie de n'écrire plus qu'un seul ouvrage par année, ou même de poser définitivement la plume. Dégoûté de tout, déprimé, il demande à Hetzel de lui trouver des successeurs capables de renouveler une littérature dont il estime avoir usé le procédé jusqu'à la corde.

XI

PORTRAIT INTIME

L'été 1879 voit le retour de Michel à Amiens. Le père veut faite table rase du passé, il ne parle plus ni des frasques du gamin ni de son indiscipline ni de ses dettes... Il expérimente maintenant la méthode douce et, pour instaurer ces nouveaux rapports, il emmène le garçon dans une croisière à bord du *Saint-Michel III*. Ainsi, à peine débarqué des Indes, le malheureux fiston doit rembarquer pour faire plaisir à papa.

Accompagné encore de son frère Paul et de son neveu Gaston, Jules Verne vogue vers le nord. Il remonte jusqu'à Édimbourg pour retrouver cette Écosse qui lui a laissé de si merveilleux souvenirs. Il veut faire découvrir la terre de Walter Scott à son fils, mais celui-ci reste aussi insensible aux charmes venteux des Highlands qu'aux embruns vivifiants de l'Atlantique. Gaston est là pour prendre la place de l'indigne rejeton, écoutant pieusement les commentaires du célèbre écrivain... Intelligent et cultivé, il vénère son oncle et ne perd pas une nuance des analyses géographiques ou historiques tombées de la bouche d'un homme aussi admirable.

Jules Verne s'enferme de temps à autre dans sa cabine pour jeter quelques notes sur le papier. De ses nouvelles pérégrinations écossaises, l'auteur tirera *Le Rayon vert,* roman où l'héroïne part à la recherche de cette lueur colorée que projette parfois le soleil sur la mer avant de disparaître à l'horizon... Jules à son écriture et Paul aux commandes, la traversée est calme, sans histoire. Même Michel est détendu. Malgré son indifférence aux agréments du voyage, il semble avoir mûri, il paraît moins agité et bien décidé à réintégrer le giron familial. Le seul incident notable de cette expédition sera, à la fin de l'été, une tempête dans le port de Saint-Nazaire qui lancera en pleine nuit un lourd trois-mâts contre la coque du *Saint-Michel,* lui arrachera un mât et une pièce de la proue... Et déclenchera une panique chez les passagers du yacht qui se précipiteront sur le pont en chemise de nuit !

Dès la rentrée, un Michel assagi accepte d'aller user ses fonds de culotte au lycée d'Amiens pour préparer son baccalauréat. Le garçon suit sans grand enthousiasme les cours de latin et de rhétorique... Hélas, malgré ses bonnes résolutions, il se laisse entraîner dans les cafés en quête d'aventures et dans les coulisses du théâtre de la rue des Trois-Cailloux[1] à la recherche de conquêtes féminines.

Cette vie décousue faite d'alcool, de mauvaises fréquentations et d'argent vite dépensé scandalise le père. Mais que dire ? Ni les promesses ni les menaces

1. Aujourd'hui siège du Crédit lyonnais.

ne parviennent à inciter le fils à plus de mesure. Et puis, tant que Michel suit encore ses cours, la famille espère. Chimère vite envolée. Bientôt l'indécrottable garnement abandonne complètement ses études.

« Dissipation, dettes insensées, théories épouvantables dans la bouche d'un jeune homme, désir exprimé de s'approprier de l'argent par tous les moyens possibles, menaces, etc. Tout, tout est revenu. Il y a chez ce malheureux un cynisme révoltant que vous ne voudriez pas croire. C'est avec une petite dose de folie indiscutable, un perverti épouvantable », écrit Jules Verne à son éditeur dès le mois d'octobre. L'embellie n'a pas été bien longue.

Michel a beaucoup mieux à faire que de s'échiner sur les pages grises de ses manuels scolaires. À dix-huit ans à peine, il s'est entiché d'une cantatrice de vingt-six ans... L'objet de sa flamme, Thérèse Taton, traverse la France avec une troupe itinérante qui vient d'être engagée par le théâtre d'Amiens pour se produire dans son répertoire lyrique.

Jules Verne, qui ne cesse pourtant de se proclamer lui-même artiste avant tout, est effaré de cette liaison : une théâtreuse, une divette ! Jamais il ne condescend à prononcer le nom de la créature et l'affuble d'un sobriquet méprisant : « la Dugazon », terme désignant alors les petites actrices distribuées dans les rôles secondaires d'amoureuses ou de soubrettes des opéras-comiques – emplois tenus par Rose Dugazon à la fin du XVIIIe siècle. Comment le fils Verne peut-il se compromettre avec une cabotine, une aventurière, une courtisane sans doute ? Jamais le père ne consentira à une telle relation !

Pour sa bien-aimée, Michel contracte de nouvelles dettes et le père traîne son incorrigible rejeton devant le commissaire de la ville. Le galant doit subir les sévères remontrances du policier, mais il proteste : il n'a rien fait de répréhensible aux yeux de la loi ! Puisque son père lui refuse le bonheur auquel il aspire de tout son cœur amoureux, il demande à être émancipé. Cette disposition légale lui permettrait de s'affranchir de la tutelle paternelle et de suivre Thérèse dans sa tournée théâtrale... Jules Verne est consterné. Puisque le commissaire ne peut rien, le père réclame l'aide du procureur général et du maire de la ville, Alphonse Delpech. Les deux hommes n'ont évidemment aucun moyen d'agir, ils promettent vaguement de surveiller ce mauvais sujet et de l'écrouer à la moindre incartade.

Les parents ne savent plus que faire. Tout a déjà été tenté. La médecine, l'emprisonnement, l'éloignement... Des scènes terribles éclatent entre le père et le fils, la vie familiale devient un enfer. Finalement, à bout d'arguments, accablé par ces contrariétés continuelles, Jules Verne accepte d'émanciper son fils et s'empresse de le mettre à la porte... lui promettant une pension régulière à la condition qu'il s'en aille, sans sa « Dugazon », mener une vie rangée à Paris. Michel ricane et refuse. Pour rien au monde il n'abandonnerait Thérèse.

À la fin du mois de mars 1880, les deux amants quittent Amiens et gagnent Le Havre où la saison théâtrale se termine pour la troupe. Après avoir menacé son fils des pires représailles, Jules Verne, toujours excessif, lui alloue une rente mensuelle de mille francs. Cette somme considérable, versée régulièrement par Hetzel sur les droits d'auteur des *Voyages extraordinaires,* n'incite guère Michel à la sagesse et à la pondération.

Pendant que Jules Verne se morfond dans ses embarras paternels, Adolphe d'Ennery met la dernière main à l'adaptation théâtrale de *Michel Strogoff.* Cette fois, le collaborateur reste assez exactement fidèle au livre. Il se permet une seule entorse d'importance : alors que le romancier maintenait jusqu'au bout l'incertitude, laissant croire que le courrier du tsar avait été rendu aveugle par une lame incandescente, le spectateur de la pièce sait immédiatement que le courageux officier conserve la vue. Jules Verne expliquera au *Journal d'Amiens* :

– Il faut toujours – c'est une règle impérieuse – prendre le public pour confident, ne pas le surprendre, comme ne pas l'entraîner sur une piste qui n'aboutirait pas. Le spectateur, comme le lecteur, aurait cru Strogoff vraiment aveugle, il aurait prévu, lors du duel, un triomphe certain du traître qu'il exècre, il eût trop souffert pour son héros.

Les deux coauteurs ont signé un contrat avec Félix Duquesnel, l'ami des coulisses de la Bourse devenu directeur du théâtre de l'Odéon. C'est donc à lui qu'ils portent leur manuscrit. À la lecture des cinq actes et seize tableaux, l'administrateur comprend que les tréteaux de l'Odéon seront insuffisants pour déployer dans toute leur ampleur ces débordements de décors et de figurants avec fête moscovite, bombardement d'une isba, champ de bataille et retraite des chevaliers de la garde... Pour assurer le succès de la pièce et sa propre fortune, Duquesnel quitte la direction de l'Odéon et s'associe avec Émile Rochard, directeur du Châtelet. Seules la plus vaste scène de Paris et une salle de trois mille places sont dignes de recevoir la nouvelle féerie signée Verne et d'Ennery. Les directeurs ne lésinent pas : mille deux cents costumes, cent cinquante danseurs et trente chevaux déboulent sur les planches. L'accompagnement musical est également particulièrement soigné : le chef d'orchestre, Alexandre Artus, est allé jusqu'à Saint-Pétersbourg pour consigner notes et rythme de la sonnerie de la garde du tsar, ajoutant une touche d'authenticité à sa partition.

Dès la première, le 17 novembre 1880, *Michel Strogoff* est un triomphe. Durant tout l'hiver, la Russie est à la mode. On ne peut se piquer d'élégance sans arborer un bonnet d'astrakan vissé sur la tête et cette multiplication de faux Strogoff donne aux boulevards parisiens un petit air de steppe sibérienne.

Jules Verne est l'homme du jour, celui dont il faut parler, celui qui réveille la curiosité des lecteurs, et sa notoriété ne fait que croître au-delà des frontières. En mal de copie, un journal anglais, *The Theatral Novelist,* annonce la mort de l'écrivain survenue dans des conditions dramatiques : déguisé en ouvrier, traînant dans un tripot pour s'imprégner d'un ambiance dont il avait besoin pour son prochain roman, il a été poignardé par un soldat ivre...

Quelques jours plus tard à Amiens, dans les salons du Cercle de l'Union, le club intellectuel de la ville situé 73, rue des Jacobins, on fête le nouveau succès théâtral de Jules Verne. Celui-ci en profite pour commenter publiquement l'annonce de son propre décès :

– J'ai quelque raison de penser que cette nouvelle était, au moins, prématurée.

L'été suivant, alors que *Michel Strogoff* continue à attirer les foules au Châtelet, Jules Verne embarque à bord du *Saint-Michel III* pour une croisière sur la mer du Nord et la Baltique. En plus de son frère Paul et de son neveu Gaston – habitués du yacht –, Jules invite Robert Godefroy, un jeune avocat élu récemment conseiller municipal d'Amiens. Voyage difficile où le gros temps modifie le trajet et impose ses escales : Rotterdam, Flessingue, Wilhelmshaven et Kiel par le canal. Mais les écluses sont trop courtes pour la longueur du bateau. Va-t-il falloir renoncer et faire demi-tour ?

– Il ne sera pas dit que des Bretons ne se seront pas entêtés contre un obstacle ! Le *Saint-Michel* est trop long ? Coupons-lui le nez ! proclame solennellement Jules Verne.

Et la pièce avant de la proue du yacht est démontée pour permettre au bâtiment de passer les écluses et de remonter jusqu'à Copenhague.

Rendu sur la terre ferme, Jules Verne continue à mener à Amiens la vie sociale qui plaît tant à Honorine. Considéré unanimement comme un érudit capable de prospective, il est nommé membre de la Société industrielle, groupement d'entrepreneurs locaux pour l'enseignement professionnel et le développement scientifique. Cette position prestigieuse le place définitivement parmi les notables et lui donne le droit de consulter les journaux au siège de la société, 29, rue de Noyon[1]. Il s'y rend régulièrement à midi, immédiatement après le déjeuner. Dans la bibliothèque encore déserte, il choisit les revues à dépouiller, les classe méticuleusement selon une hiérarchie connue de lui seul, pose la pile sur sa chaise et s'assied dessus afin que nul ne vienne déranger l'ordre établi. Et puis, une à une, il retire les gazettes de leur imprenable position et les parcourt page après page. Dès le début de l'après-midi, les lecteurs envahissent la salle, mais ils doivent attendre patiemment que l'écrivain ait terminé son manège avant de pouvoir feuilleter les magazines à leur tour.

Honorine, de son côté, organise assidûment ses réceptions hebdomadaires et ses mondanités. La maison du boulevard Longueville se révèle bientôt trop exiguë. Il faut plus d'espace, de grands salons, des baies lumineuses... En octobre 1882, Jules Verne loue une villa à quelques pas, au 2, rue Charles-Dubois. Dans cette vaste résidence, flanquée d'une tour ronde abritant l'escalier menant aux étages et surmontée d'un belvédère qui offre une vue sur toute la ville, le couple peut mener grand train, à l'immense bonheur d'Honorine enfin devenue la bourgeoise considérée qu'elle rêvait d'être depuis si longtemps. Désormais, les visiteurs sont accueillis sur le perron

1. La salle avec le gros des archives disparut dans les bombardements de 1940. Fondée en 1861, la Société industrielle fut liquidée en 1994 pour fusionner avec l'organisme professionnel Interfor.

par la bonne en tablier blanc, et toutes les jeunes filles qui se succèdent au service de Madame sont appelées Rose, prénom que la maîtresse de maison estime singulièrement convenir à la domesticité.

On entre chez les Verne en franchissant une petite cour pavée, les étendues de gazon et les hêtres séculaires du jardin s'étendent plus loin. C'est le domaine de Follet, un grand chien noir qui saute affectueusement sur les visiteurs. Quelques marches et l'on pénètre dans une véranda où se développe une faune exotique faite de palmiers et de fleurs multicolores. Ce jardin d'hiver franchi, on arrive dans le hall d'entrée puis dans le grand salon : lourdes tentures de velours, glaces vénitiennes, horloge sur la cheminée et chat angora blanc qui se glisse, souple et silencieux, entre les fauteuils. À l'arrière, ouvrant leurs croisées sur l'indispensable et rassurante voie de chemin de fer, se situent la salle à manger avec des meubles et des panneaux en chêne sculpté, qui recréent une pseudo-ambiance médiévale très en vogue alors, et le fumoir aux fauteuils de cuir où Jules Verne aime se réfugier pour griller une pipe ou l'un de ces cigares baptisés *Rayon vert,* comme son roman, qu'un planteur de La Havane lui fait envoyer régulièrement.

Au-dessus se trouvent les appartements d'Honorine. L'écrivain, lui, a investi le deuxième étage. Sa bibliothèque s'enorgueillit des différentes éditions des *Voyages extraordinaires,* en français mais aussi en anglais, en allemand, en italien, en espagnol, en portugais, en suédois, en hollandais, en grec, en croate, en japonais, en arabe et en persan. Et puis, sur une mappemonde parcourue de lignes rouges, l'hôte montre fièrement à ses visiteurs les voyages qu'il a effectués : les vrais, et ceux imaginés à la suite de ses personnages...

Son cabinet de travail est installé dans une pièce contiguë, à la fois minuscule et dépouillée, où il est parvenu à glisser un bureau recouvert d'un tapis vert, un fauteuil et un lit de camp. Sous le regard des bustes de Molière et de Shakespeare, avec au mur une aquarelle représentant les formes allongées du *Saint-Michel III,* il écrit chaque jour dès six heures du matin, n'ayant qu'un pas à faire de son lit à sa table. Il s'interrompt vers onze heures pour prendre son déjeuner en compagnie d'Honorine et il consacre le reste de la journée à ses lectures et aux activités des clubs amiénois.

En cet automne 1882, il a provisoirement remisé ses projets littéraires. Lassé de l'écriture romanesque, épuisé par le rythme imposé par Hetzel, le théâtre seul retient son attention. Il veut profiter de l'immense popularité de ses personnages pour inscrire un nouveau succès à son palmarès. Avec Adolphe d'Ennery il concocte une pièce hybride où sont réunis, dans un étrange méli-mélo, quelques-uns de ses héros : le fils Hatteras, le capitaine Nemo, Michel Ardan, le professeur Lidenbrock et le D[r] Ox.

Voyage à travers l'impossible, pièce fantastique en trois actes, est créé au théâtre de la Porte Saint-Martin le 25 novembre 1882. Œuvre noire et triste où le progrès est ressenti comme un danger et le travail des savants comme une infamie perpétrée contre l'humanité. Public et critiques demeurent stupéfaits devant ce déversement bilieux et le spectacle doit au seul nom de Jules Verne de parvenir à la quatre-vingt-dix-septième représentation avant de quitter discrètement l'affiche.

Comparé aux triomphes du *Tour du monde* ou de *Michel Strogoff*, c'est un cuisant échec. Jules Verne pense cependant toujours au théâtre en écrivant son nouveau roman, *Kéraban le Têtu.* Cette aventure d'un Turc richissime qui préfère accomplir le tour de la mer Noire plutôt que de payer la taxe imposée sur la traversée du Bosphore lui semble conçue pour être portée à la scène. Il écrit les cinq actes et vingt tableaux parallèlement à l'ouvrage. Certain de son fait, estimant à présent en connaître suffisamment sur la construction théâtrale, il croit pouvoir se passer du concours d'Adolphe d'Ennery, cet agaçant collaborateur qui non seulement lui dévore la moitié des droits, mais manipule à son gré personnages et situations.

Larochelle, qui a été l'instigateur du *Tour du monde* sur la scène, accepte de monter *Kéraban* sur les planches du théâtre de la Gaîté dont il est devenu le directeur. Mais la salle du square des Arts-et-Métiers n'est pas le Châtelet, pas même la Porte Saint-Martin, et les fantaisies verniennes paraissent bien misérables dans un lieu peu fait pour le grand spectacle. Créé le 3 septembre 1883, *Kéraban* ne subsistera pas plus d'un mois. L'auteur ne peut attribuer cette débâcle à son travail puisqu'il a appliqué les recettes enseignées par d'Ennery... Il y voit donc une double conjuration. D'abord, Larochelle aurait choisi des acteurs habitués au drame en lieu et place des comiques qui se seraient trouvés plus à l'aise dans la pièce. Ensuite, d'Ennery, humilié d'avoir été écarté de l'adaptation, aurait comploté pour obtenir de la critique parisienne un éreintement systématique de la pièce.

Cette chute retentissante n'empêche pas Jules Verne de songer plus sérieusement que jamais à l'Académie française. Cette brusque attirance pour l'habit vert est étrangement provoquée par la mort du comte de Chambord... Avec la disparition du dernier des Bourbons, Philippe, comte de Paris, devient le légitime prétendant au trône et, naïvement, l'auteur imagine que la protection de Monseigneur lui ouvrira en grand les portes de l'Académie. Pour lui, les rencontres du Tréport résonnent un peu comme une grâce royale. Il est certain que son auguste compagnon de villégiature usera de son influence pour le faire nommer sous la Coupole. Il écrit à Alexandre Dumas fils : « La mort du comte de Chambord doit changer bien des choses et le nouveau roi m'a toujours témoigné tant de sympathie que sa protection, je pense, ne pourra nous faire défaut... » Jules Verne se leurre. « Le nouveau roi », tout occupé à réorganiser le parti monarchique, oublie la littérature et ne s'inquiète guère des luttes d'influence au quai Conti.

Une nouvelle élection se passe sans que le nom de Jules Verne soit prononcé. Dumas tente de rasséréner son ami :

– Vous auriez dû être un auteur américain ou anglais. Alors vos livres, traduits en français, vous auraient apporté une énorme popularité en France, et vous auriez été considéré par vos compatriotes comme l'un des plus grands maîtres de la fiction.

Échec au théâtre, échec à l'Académie : Jules Verne estime sage de revenir à la littérature romanesque. Avec *Mathias Sandorf,* il ne se cache pas d'écrire son propre *Comte de Monte-Cristo.* En effet, comme le héros d'Alexandre Dumas père, le comte hongrois Sandorf, emprisonné après avoir été trahi, réapparaît sous un nom d'emprunt pour assouvir sa vengeance... Lors de la sortie de l'ouvrage, Alexandre Dumas fils reconnaît une incontestable filiation : « Personne n'eût été plus charmé que l'auteur de *Monte-Cristo* par la lecture de vos fantaisies lumineuses, originales, entraînantes. Il y a entre vous et lui une parenté littéraire si évidente que, littérairement parlant, vous êtes plus son fils que moi. Je vous aime depuis si longtemps qu'il me va très bien d'être votre frère. »

À cinquante-quatre ans, la barbe grisonnante, la paupière gauche à demi fermée, conséquence de ses paralysies faciales, Jules Verne s'étourdit dans le travail. Sur la table de son bureau, il écrit au crayon la première version de ses romans, puis il repasse chaque ligne à l'encre en y apportant les premières corrections. Ensuite, les liasses de papier sont envoyées rue Jacob où Hetzel impose ses modifications et livre le tout à la composition. Le jeu d'épreuves en main, l'auteur retouche encore son texte, modifie des chapitres entiers et réexpédie sa besogne à l'éditeur. Et ce petit jeu d'aller-retour entre Paris et Amiens peut se répéter huit ou neuf fois avant que le récit ne soit jugé bon à la publication.

Jules Verne finit d'écrire *Mathias Sandorf* à bord du *Saint-Michel III,* durant l'été 1884, au cours d'une grande expédition qui le mène sur les côtes d'Afrique du Nord. Jules Verne le déclare à qui veut l'entendre : cette croisière sera la dernière du yacht. En effet, le bateau coûte trop cher à entretenir et la navigation à vapeur manque d'imprévu pour un écrivain assoiffé d'aventures. Il envisage d'acquérir un jour un grand voilier qui le mènera au gré du vent.

D'ordinaire, Honorine demeure paisiblement à Amiens tandis que son époux court par les mers. Cette fois, pourtant, elle décide de participer à cet ultime voyage. Elle veut embrasser sa fille Valentine dont le mari, le capitaine de Francy, cantonne quelque part dans l'Algérois. Elle a hâte aussi de retrouver à Alger sa sœur Aimée, établie dans les colonies avec Auguste Lelarge, son notaire de mari. Mais il ne saurait être question pour elle de se risquer sur le yacht agité par les roulis, elle prend le train et traverse la Méditerranée par la ligne régulière en compagnie de Michel, momentanément réconcilié avec ses parents. Au mois de mars précédent, à Nîmes, le fils Verne a épousé Thérèse et cette union tranquillise un peu la famille : voilà déjà plus de quatre ans que le farouche garnement mène une vie paisible avec sa chanteuse. Serait-elle parvenue à le stabiliser enfin ?

Le *Saint-Michel III* embarque Jules, son frère Paul, son neveu Maurice et Me Raoul-Duval pour un voyage où, à chaque escale, à Lisbonne comme à Gibraltar, les admirateurs de l'écrivain se pressent sur les quais pour l'apercevoir et lui faire une ovation. À Oran, les navigateurs rejoignent Honorine et Michel, mais on ne peut repartir immédiatement car la Société de géographie tient une séance spéciale en l'honneur de l'illustre romancier. Dans la chaleur du punch, le visiteur promet d'écrire un ouvrage dont l'intrigue se déroulerait à Alger et à Oran... On se congratule, on s'embrasse et on se quitte. Le yacht peut reprendre sa route et arrive enfin à Alger. Quel bonheur pour Honorine de retrouver Valentine et Aimée ! Jules pour sa part ne tient pas en place, il faut déjà larguer les amarres : la Tunisie les attend... La brève croisière entre Oran et Alger a tourneboulé Honorine, la mer a été mauvaise et l'on vient d'apprendre qu'un paquebot a fait naufrage. La craintive épouse n'accepte à aucun prix de remonter sur le *Saint-Michel*... Elle parvient à convaincre son mari de gagner Tunis par voie de terre.

Le capitaine Ollive conduit le yacht au port de La Goulette avec ses derniers passagers tandis que le couple Verne prend le train, accompagné de Michel et de Maurice. Mais la voie de chemin de fer est inachevée, elle s'interrompt un peu avant les confins algériens... Les voyageurs sont contraints de s'arrêter en plein bled, à Souk-Ahras, et de descendre dans une auberge miteuse, envahie par les puces et les punaises. Jules explose : à cause des caprices d'Honorine, les voilà forcés d'ingurgiter un repas infect et de dormir sur une paillasse infestée... Décidément, quand on ne supporte pas la mer, on reste à Amiens !

Apprenant l'arrivée prochaine en ses terres de l'illustre écrivain, le bey de Tunis envoie un train spécial à Ghardimaou, non loin de la frontière avec l'Algérie, point extrême de la ligne tunisienne. Éreintés et crasseux, les touristes trouvent une diligence qui cahote sur les chemins pierreux et les mène jusqu'au luxueux convoi avancé par le souverain.

À Tunis, Ali Bey veut honorer ses hôtes prestigieux comme il convient. Fez rouge sur la tête, habillé d'un frac noir rebrodé de feuilles d'or, il se fait un devoir de recevoir les voyageurs en son palais du Bardo. Son Altesse, privée de tout pouvoir réel depuis l'instauration du Protectorat français, se désennuie un peu en conviant sous les arcades blanches de sa résidence quelques célébrités de passage...

La famille Verne quitte la ville dès le lendemain et s'en va prendre un bain de mer à l'extrême pointe du pays, au cap Bon. Dans la nature sauvage, Jules joue au Robinson en exécutant une danse autour d'un totem inexistant tandis que Michel, en butte à un ennemi imaginaire, tire un coup de feu en l'air ; au loin, quelques déflagrations lui répondent.

Le retour vers la France se fait lentement, comme à regret, par Malte, la Sicile et puis Rome où le grand Jules Verne et sa famille sont accueillis comme des héros de roman. Le marquis de Gravino, préfet de la capitale italienne, les invite dans sa loge personnelle du théâtre Umberto où ils peuvent assister à une représentation de *La Favorite,* un opéra de Donizetti. Le jour suivant, l'ambassadeur de France les reçoit dans le cadre somptueux du palais Farnèse et l'austère pape Léon XIII accorde une audience privée à l'homme de lettres. Sa Sainteté penche son visage émacié, creusé par la vieillesse, vers celui de Jules Verne, tient la main de son visiteur entre les siennes et prononce quelques mots qui bouleversent l'écrivain :

– La partie scientifique de vos œuvres ne m'échappe point. Mais j'en apprécie surtout la pureté, la valeur morale et spiritualiste. Je les bénis et vous engage à persévérer.

Et le voyage triomphal se poursuit. À Venise, un

feu d'artifice est tiré de la lagune et les foules crient d'une seule voix :

– *Evviva Guilio Verne !*

Durant cette croisière de deux mois, Jules et son fils Michel ont à nouveau tenté d'oublier le passé et d'entretenir des relations plus confiantes. Mais le caractère rebelle du garçon réapparaît bien vite. Rentré en France, il délaisse sa femme à peine épousée et succombe à un nouvel amour dévorant. À Nîmes, il a rencontré la passion, la vraie, celle pour laquelle il est prêt à quitter Thérèse et à se brouiller, une fois encore, avec sa famille. Elle s'appelle Jeanne Reboul, elle n'a que dix-sept ans mais elle est déjà une pianiste virtuose et son âme d'artiste se laisse séduire par le beau Michel qu'elle croit célibataire... Le soupirant ne dit rien des liens d'un fragile hyménée qui l'unissent à une autre : un tel détail ne peut arrêter un homme de la trempe du fils Verne ! Il enlève la belle et l'entraîne à Paris, laissant à Nîmes une épouse éplorée et trente mille francs de dettes...

Totalement désemparée, Thérèse vient chercher soutien et consolation à Amiens. Jules, oubliant son animosité, fait bon accueil à la jeune Mme Verne, la loge chez lui, dans la maison à la tour. Il découvre alors sous « la Dugazon », naguère tant honnie, une jeune femme délicieuse et courtoise, rien de la dévergondée qu'il avait imaginée. La créature corrompue, maintenant, c'est la petite Jeanne qui mène, à Montmartre, la vie de bohème avec son amant... Désormais, par décision du père, la pension mensuelle de mille francs accordée à Michel sera écornée de deux cents francs qui reviendront à Thérèse.

À vingt-trois ans, le fils Verne, peu tracassé par les contraintes de l'existence, se contente de bambocher, passant des nuits de fête à la taverne du *Chat noir,* boulevard de Rochechouart. Dans un ancien bureau de poste abandonné par l'administration, le cabaretier Rodolphe Salis a créé une ambiance Louis XIII avec cheminée grandiose, lustres anciens, chaises de bois tourné, vitraux de couleur et pots d'étain sur les tables. Sur le mur, les nymphes nues d'un gigantesque tableau d'Adolphe Willette trouent les ténèbres tabagiques. Tous les soirs, une petite société hétéroclite se regroupe en ces lieux. On y voit le peintre Alexandre Steinlen, le poète Charles Cros, l'humoriste Alphonse Allais, mais aussi des voyous de la place Blanche venus s'imbiber de bibine, casquette penchée sur le côté, biscoteaux tatoués et mégot au coin des lèvres. Tout cela forme Montmartre, la colline inspirée, et Salis proclame :

– La Butte sacrée est la mamelle granitique et formidable à laquelle s'abreuveront les générations éprises d'idéal !

Michel Verne a besoin de la bière tiède du *Chat noir,* du délire verbal du cabaretier et des vers débités à longueur de soirée par les clients. Ce spectacle constamment mouvant nourrit son inspiration. Car, il l'assure et le serine, il se fera poète un jour... Incité par sa jeune maîtresse, il a même entrepris la composition d'un opéra.

Cette vie débridée, allègre et sans souci, prend fin brusquement par un échange d'aveux terrifiants : elle est enceinte, il est marié ! Elle est effondrée, il est enchanté. Thérèse, bientôt mise au courant de la grossesse de sa rivale, accepte de s'effacer et de rompre avec son inconstant mari. Un divorce ! En cette année 1885, une telle décision est une tache irrémédiable, un scandale épouvantable. La belle société amiénoise, comme les demi-sœurs de Michel, Valentine et Suzanne, ne pardonneront pas une pareille ignominie. Longtemps, le fils Verne et sa compagne seront tenus à l'écart, considérés comme des pestiférés vautrés dans la turpitude.

Jeanne accouche en juin et donne à l'enfant le prénom du père, Michel. Après la naissance de Georges, onze mois plus tard, second fils de ce couple illégitime, les jeunes gens acceptent enfin de s'unir officiellement. Ce qui ne fait qu'amplifier les commérages et ajouter l'infamie à la honte : un second mariage étant alors ressenti comme une terrible faute par les bien-pensants.

Métamorphosé en père de famille, Michel Verne renoncera à la poésie qui avait été son ambition au temps du *Chat noir*. Il se lancera dans des affaires multiples et diverses, croyant chaque fois tenir l'idée exceptionnelle qui l'enrichira, mais sans jamais trouver la réussite. Il investira dans la prospection minière en Russie et en Roumanie, s'associera dans une usine de poêles de chauffage, dirigera une fabrique de papier, se lancera dans la production de bicyclettes... dilapidant chaque fois l'argent emprunté à papa. Lassé de verser à son fils des sommes considérables, trop vite gaspillées dans des entreprises catastrophiques, Jules Verne soupirera :

– J'aime mieux que Michel ne fasse rien, il me coûte moins cher.

XII

COUPS DE FEU RUE CHARLES-DUBOIS

Honorine ne s'est jamais consolée d'avoir manqué le bal costumé tenu dans les salons Saint-Denis huit ans auparavant. Son écrivain d'époux est résolu à y remédier. C'est l'ami Gédéon Baril qui dessine les invitations. Il croque le couple Verne autour d'un gigantesque pot-au-feu et annonce :

GRRRRANDE AUBERGE
DU TOUR DU MONDE.
Tenue par M. et Mme Jules Verne.
Pour aujourd'hui seulement
On y boit gratuitement.

Le 8 mars 1885, le grand salon de la maison à la tour est décoré comme une gargote campagnarde. Thème de la soirée : un mariage champêtre. Jules est en cuistot, toque sur la tête, sa femme en cuisinière avec tablier de dentelles, Robert Godefroy en charcutier, Alphonse Paillat, un cousin d'Honorine, en maire, sa fille en mariée, un certain Dr Boussavit en marié, les deux fillettes de Suzanne Lefebvre en petites laitières, et les autres invités, vêtus de costumes folkloriques, forment le cortège de la noce.

La chère est bonne car l'« Auberge du tour du monde » bénéficie des talents culinaires de M. Sibert, le meilleur traiteur de la ville. Le maître queux est une vieille connaissance de Jules Verne : à l'époque lointaine où l'écrivain était secrétaire du Théâtre Lyrique à Paris, le jeune Sibert fréquentait assidûment les coulisses et avait fini par épouser la demoiselle Larsennot, l'une des cantatrices de la troupe.

Mais ce soir, on n'évoque pas ces souvenirs d'antan. On mange, on boit, on danse, on s'amuse et, au petit matin, quelques convives attardés lèchent encore les plats et vident les dernières bouteilles...

Dès le lendemain, dans la grande maison rendue au silence, Jules Verne se remet au travail. Il est sorti de sa période dépressive, il ne demande plus à son éditeur de lui trouver des remplaçants pour développer sa veine romanesque. Au contraire, il a le sentiment d'avoir encore de nombreux volumes à écrire, des personnages à développer, des continents à arpenter, des inventions à imaginer... Avec *Robur-le-Conquérant,* il se lance dans un vibrant plaidoyer pour la locomotion aérienne avec des appareils plus lourds que l'air. Robur, savant fou et génial, véritable Nemo du ciel, construit un hélicoptère mû par l'électricité et veut régner sur les azurs...

Entièrement absorbé dans l'écriture, fatigué d'entretenir un yacht désarmé dix mois sur douze, pressé par les besoins d'argent dus aux frasques de Michel, Jules Verne est décidé, comme il l'avait annoncé, à se débarrasser du *Saint-Michel III*. En février 1886, il brade le bateau pour un prix dérisoire : vingt-trois mille francs, moins de la moitié du prix qu'il avait lui-même payé dix ans plus tôt. Un armateur nantais réalise cette affaire juteuse et revend le yacht au fils du prince du Monténégro. Désormais le bâtiment arborera le pavillon rouge-bleu-blanc frappé de la couronne et croisera dans les eaux calmes de l'Adriatique.

Entre son cabinet de travail le matin et ses activités au sein des sociétés locales l'après-midi, Jules Verne mène à Amiens une vie retirée de provincial. Même lorsque Honorine reçoit amis et relations, il s'esquive inéluctablement à vingt-deux heures, abandonnant des invités un peu déçus. Chacun comprend cependant que le célèbre auteur a besoin de repos afin de poursuivre la rédaction de ses *Voyages extraordinaires*... Entièrement absorbé dans l'écriture, Jules Verne se forge une existence austère que rien ne devrait venir troubler.

Le mardi 9 mars, après déjeuner, il file au club de l'Union consulter les dernières revues scientifiques parues. Il rentre chez lui vers dix-sept heures trente, l'esprit absorbé par les dernières corrections à apporter au manuscrit de *Robur-le-Conquérant*... Au moment où il sort la clé de sa poche pour ouvrir le lourd portique de fer forgé, une violente déflagration le fait sursauter. Il se retourne brusquement. Son neveu Gaston se dresse devant lui, les yeux hagards, un revolver à la main... Le jeune homme profère des paroles décousues, demande à son oncle de le protéger d'ennemis lancés à sa poursuite... Jules Verne jette un regard rapide sur la rue Charles-Dubois paisible et silencieuse. L'écrivain tente de raisonner et de rassurer le pauvre garçon :

– Il n'y a personne...

Gaston brandit son arme et hurle :

– Ah ! même toi, tu ne veux pas me défendre !

Jules Verne se précipite et, d'un geste, tente de détourner le bras de son agresseur... Un second coup de feu claque... L'écrivain s'effondre, la jambe gauche en sang. Des voisins accourent, alertés par les détonations. Affolement. On ceinture le forcené. La maréchaussée appelée en renfort se précipite. Face aux enquêteurs, Gaston, hébété, se perd dans des explications confuses... Il aurait désiré attirer l'attention de l'Académie française sur un génie trop peu reconnu... Il aurait voulu que l'oncle Jules, si bon, si généreux, puisse rapidement trouver sa récompense au paradis...

À vingt-six ans, Gaston, le neveu préféré de Jules Verne, a définitivement sombré dans la démence. Jusque-là brillant fonctionnaire du ministère des Affaires étrangères, il souffrait depuis peu de temps d'une manie de la persécution dont la famille s'inquiétait. Sous prétexte d'aller chez le coiffeur, il avait pourtant échappé à la vigilance des siens, s'était muni d'un pistolet neuf millimètres et était monté dans le train pour Amiens...

Cet inexplicable attentat fera longtemps jaser. On parlera d'argent emprunté, de jalousie, d'amour excessif... Mais au XIXe siècle, la maladie mentale est une tare qu'il faut cacher. Gaston Verne sera enfermé sa vie entière derrière les murs de l'asile d'aliénés de Beldam, en Grande-Bretagne. Il mourra en 1940, à l'âge de quatre-vingts ans, sans avoir jamais livré son secret.

Au chevet de la victime, cinq médecins essayent d'extraire la balle fichée près du talon, entre le tibia et le tarse. Vaines tentatives, ils triturent l'articulation du pied et parviennent seulement à aggraver les douleurs de leur patient. Les praticiens sont impuissants : la plaie ne se referme pas, elle est purulente, des éclats d'os s'en échappent et le blessé souffre terriblement. Alors le Dr Jules Lenoël assomme son client de tranquillisants. Bercé par une douce rêverie médicamenteuse, l'écrivain retrouve le goût de la poésie. Dans l'état second induit par les calmants, il compose un sonnet à la gloire de la morphine :

Prends s'il le faut, docteur, les ailes de Mercure
Pour m'apporter plus tôt ton baume précieux !
Le moment est venu de faire la piqûre
Qui, de ce lit d'enfer, m'enlève vers les Cieux...

Le 17 mars, huit jours seulement après l'attentat, nouveau choc : le cher Pierre-Jules Hetzel vient de mourir. Le vieil éditeur âgé de soixante-douze ans était malade depuis fort longtemps et cette triste nouvelle était attendue, mais le déchirement n'en est pas moins grand.

Infirme, cloué sur son lit, Jules Verne se souvient des premières rencontres rue Jacob, des premiers enthousiasmes, des premiers succès... Comme tout cela est loin et comme le monde a vieilli ! Dans une des dernières lettres adressées à son auteur-vedette, ultime confidence, l'éditeur avait exprimé sa nostalgie pour le travail d'écriture, un plaisir abandonné pour se consacrer entièrement aux affaires : « Combien je voudrais moi aussi me donner ce bonheur d'écrire, de vivre dans les fictions et d'oublier les réalités ! Mais de ce côté mon rôle est fini, et j'y ai renoncé. C'était pourtant le meilleur de ma vie. »

Jules songe qu'au-delà des chagrins et des désillusions, il lui reste encore l'écriture... Mais il va falloir désormais vivre et travailler sans la présence et les conseils amicaux de ce père attentif, car c'est bien un père que Jules Verne vient de perdre, comme il n'hésite pas à le confier au fils Hetzel : « Je n'ai pu assister aux derniers moments de votre père qui était bien le mien aussi... »

À cinquante-huit ans, Jules Verne s'installe dans la vieillesse. Ses propres maux le préoccupent bien davantage que le triste sort de son neveu Gaston. Et puis, les relations avec son nouvel éditeur, Jules Hetzel, ne sont plus celles d'un fils respectueux avec un père exigeant, mais d'un auteur confirmé avec un jeune homme moins expérimenté. De plus, il sait maintenant qu'il ne voyagera plus – bien heureux s'il arrive à remarcher. Son beau voilier restera pour toujours à l'état de fantasme. Il doit renoncer à une partie de ce qu'était sa vie, mais jamais il n'abandonnera la fuite par la plume, le rêve ouvert, la fiction consolatrice... Malgré les deuils et les maladies, malgré les désenchantements et les tourments, il continuera à produire ses deux volumes chaque année.

Il cherche le bonheur par l'imaginaire car sa famille ne lui a causé que des déceptions. L'amertume – et peut-être la morphine – l'autorise à des éclairs de spontanéité. Le 13 avril 1886, félicitant Léon Guillon, époux de sa sœur Marie, pour le prochain mariage de leur fille, il livre le fond de sa pensée : « Ils seront parfaitement heureux, surtout s'ils n'ont jamais d'enfants... Donc Dieu préserve les nouveaux époux de cet excès de bénédiction divine ! »

Alors que son talon n'arrête pas de saigner et de suppurer, il est déjà attelé à un nouveau roman. *Nord contre Sud* est enfin le grand récit sur la guerre de Sécession qu'il projetait depuis si longtemps, vaste fresque où il peut développer l'horreur que lui inspire l'esclavage.

En janvier 1887, quand *Nord contre Sud* commence à paraître en feuilleton dans le *Magasin d'éducation et de récréation,* l'auteur est toujours handicapé par sa blessure. À Alexandre Dumas fils qui lui demande de ses nouvelles, il répond : « Je ne vais guère bien. La blessure ou plutôt l'opération qui a amené la perforation de l'os me laisse une blessure qui ne se cicatrise pas. De plus, l'articulation est ankylosée, et je serai certainement boiteux. »

Jules Verne a le sentiment d'être poursuivi par une série noire qui n'en finit pas. Les drames s'ajoutent aux drames. Le 15 février, c'est sa vieille mère qui s'éteint à Nantes, rompant le dernier lien qui l'attachait encore à son lointain passé. Le fils ne trouve pas la force de se rendre aux funérailles, mais il est assez vaillant, quelques semaines plus tard, pour se précipiter en Bretagne, appuyé sur une canne et claudiquant, afin de vendre à la hâte la maison familiale de Chantenay, comme s'il voulait brusquement s'arracher aux ultimes souvenirs d'un monde disparu. À un ami, il évoque la disparition de ses parents en termes sibyllins : « Mon père est mort le premier, ma mère lui a survécu quinze ans ; la voici qui disparaît à son tour. Ces deux morts m'ont fait beaucoup de peine, mais c'est la destinée. Il faut perdre ceux que l'on aime comme ceux que l'on n'aime pas. »

Tout en travaillant à un roman historique, *Le Chemin de France,* dont l'action se situe au moment de la Révolution, il porte à la scène *Mathias Sandorf,* son « Comte de Monte-Cristo » à lui. Pour cette adaptation, il collabore avec deux routiers du théâtre, Georges Maurens et William Busnach, ce dernier bien connu alors pour ses drames tirés des romans d'Émile Zola.

Le Théâtre de l'Ambigu crée la pièce le 27 novembre 1887, mais l'auteur ne croit pas nécessaire de faire le déplacement pour participer à l'événement. S'intéresse-t-il encore vraiment au théâtre ? Ses échecs successifs l'ont découragé et il attend de voir la réaction des spectateurs, il sera toujours temps d'assister au spectacle plus tard. Il invoque son pied handicapé pour éviter de monter à la capitale et... part pour la Belgique où il doit prononcer une série de conférences.

À Bruxelles, à Liège, à Anvers, le public se presse pour applaudir le célèbre romancier, mais le spectacle est bien décevant. Assis devant une table, un œil presque fermé, il lit d'une voix triste et monocorde un conte de fées de sa composition : *Aventures de la famille Raton.* Et durant toute la soirée, il faut suivre les méandres d'un récit tortueux où un rat transformé en être humain reste amoureux d'une demoiselle rat...

La tournée à peine terminée, il se précipite au cap d'Antibes où Adolphe d'Ennery l'attend pour adapter au théâtre *Les Tribulations d'un Chinois en Chine.* Mais à quoi bon ? Le talent réuni des deux hommes ne suffit pas à élaborer un spectacle rythmé et captivant, le découpage est lent, ennuyeux. Jules compose seul la succession des actes une première fois, puis les remanie entièrement sur les indications de son collaborateur... Mais d'Ennery n'est guère satisfait du résultat.

De toute façon, les deux hommes n'y croient plus vraiment. Sur le plan dramatique, le temps des triomphes de Jules Verne est révolu. L'écrivain n'a pas même eu le loisir de voir son *Mathias Sandorf*, disparu après avoir été joué trois mois devant des salles souvent à moitié vides. Le public se tourne vers d'autres formes de spectacle. André Antoine apparaît avec son Théâtre-Libre et impose le naturalisme d'Émile Zola et le réalisme d'Henrik Ibsen.

Sur le plan littéraire pourtant, Jules Verne demeure une valeur sûre, même si ses derniers romans n'ont pas atteint les forts tirages du passé. Dans les premières éditions non illustrées, *Mathias Sandorf*, *Robur-le-Conquérant*, *Nord contre Sud* et *Le Chemin de France* ont tourné chacun autour de dix mille exemplaires vendus. Ce n'est pas un désastre, ce n'est pas un triomphe. Si Jules Verne conserve un public fidèle, il n'est plus désormais l'écrivain dont les lecteurs guettent avec avidité les œuvres nouvelles.

Devenu sédentaire par la force des choses, il ne veut pas se replier totalement sur l'écriture. Pour rester en contact avec le monde environnant et ne pas décrocher de la réalité quotidienne, il désire se lancer dans l'action municipale. Il n'a aucune ambition politique, ne cherche pas à imposer une idéologie ou un parti, il veut simplement, au jour le jour, tenter d'améliorer la vie de ses concitoyens.

Des élections doivent se dérouler au mois de mai 1888. Deux listes principales se partagent les suffrages des Amiénois : celle de l'Union républicaine menée par le maire sortant Frédéric Petit et celle de l'Union conservatrice dirigée par Albert Deberly, député de la Somme. Ce dernier est, pour Jules Verne, un ami de longue date : il était dans la nacelle du ballon qui effectua une course de vingt-quatre minutes dans les airs amiénois, il était le joyeux polichinelle du premier bal costumé... Mais l'écrivain, pragmatique, estime avoir plus de chances d'être élu en se présentant sur la liste du très populaire Frédéric Petit.

Le maire d'Amiens, sénateur de la Somme, est un homme politique énergique de cinquante-deux ans à la barbe broussailleuse. Fils d'un fabricant de velours, il a abandonné très jeune l'usine paternelle pour faire triompher ses idéaux laïques et républicains. À la fin du Second Empire, on le vit très actif dans les mouvements coopératifs destinés à faire bénéficier les ouvriers du fruit de leur travail. Au moment de la Commune, il créa à Amiens une section de l'Internationale des Travailleurs et fonda *Le Progrès de la Somme,* journal destiné à propager la doctrine révolutionnaire. Sous l'influence de Léon Gambetta, il se fit ensuite républicain modéré. Entré au conseil municipal dès 1874, il s'attacha essentiellement à une réforme de l'enseignement primaire et à la stricte application des lois sur la neutralité religieuse dans les institutions publiques.

Jules Verne est assez indifférent à la couleur politique de la liste Petit, il veut seulement se présenter devant les électeurs avec un maximum d'atouts. Car il craint plus que tout l'humiliation d'une défaite. Et puis il n'est pas vraiment en terrain inconnu parmi les candidats républicains : deux noms lui sont familiers, celui du cousin d'Honorine, Alphonse Paillat, et celui de son médecin, Jules Lenoël.

Reste encore à convaincre l'Union républicaine d'accepter dans ses rangs une personnalité à l'idéologie incertaine. Le 31 janvier 1888, l'avocat Robert Godefroy, conseiller municipal depuis plusieurs années, ami très proche de l'écrivain, adresse au maire sortant une longue lettre, véritable plaidoyer pour le futur candidat : « Jules Verne désire entrer au conseil municipal sur une liste patronnée par le citoyen Frédéric Petit. La chose il y a dix ans vous aurait paru plus que bizarre, car l'aimable écrivain, tout en restant à l'écart de la politique, ne passait guère pour un farouche républicain. Au contraire, ses sentiments orléanistes m'étaient connus... Aujourd'hui, en homme intelligent qu'il est, il reconnaît que la République est voulue par la grande majorité du pays... Il se rallie donc très franchement, car l'ambition personnelle n'a ici rien à voir. Si vous croyez que son nom est susceptible d'amener, je ne dis pas des voix, mais des adhésions vous permettant de confectionner une liste convenable, il est à votre disposition... À vous, mon cher Petit, de voir s'il est sage et politique de prendre comme collaborateur un homme d'un talent incontesté et d'une grande renommée qui vous rendrait, je crois, de grands services au conseil...

L'apparition inattendue du nom de Verne déciderait, j'en suis sûr, bien des hésitants... »

Une rencontre est organisée. Frédéric Petit et Jules Verne sont conscients de tout ce qui les sépare. L'un est un partisan acharné de la laïcisation et se déclare républicain, l'autre demeure dans la tradition catholique et se veut conservateur, mais tous deux partagent la ferme volonté de préparer Amiens à entrer dans le XXe siècle et la modernité. L'écrivain et le maire, déjà liés par une estime réciproque, fraternisent autour de ce projet commun. Jules Verne aura sa place sur la liste républicaine. À l'hôtel de ville, certains désapprouvent cette main tendue à un personnage politiquement nébuleux. Le nom de Jules Verne est décoratif, certes, mais sera-t-il un allié fidèle ?

– Vous introduisez un coq dans un champ de coquelicots ! proclame joliment un élu.

– Un conseil municipal ne saurait avoir trop de prestige, rétorque le maire.

Autour de Jules Verne, on s'étonne de cette soudaine et tardive ambition politique. Son frère s'inquiète de le voir virer au rouge, mais il répond que les étiquettes importent peu, seule compte l'action. À Charles Wallut, il explique clairement : « Mon unique intention est de me rendre utile, et de faire aboutir certaines réformes urbaines. Pourquoi mêler toujours la politique et le christianisme aux questions administratives ? Tu me connais assez pour savoir que, sur les points essentiels, je n'ai jamais subi aucune influence. En sociologie mon goût est : l'ordre ; en politique, voici mon aspiration : créer, dans le mouvement actuel, un parti raisonnable, équilibré, respectueux de la vie. »

En publiant le nom de ses candidats, l'Union républicaine se vante d'aligner des représentants de tous les quartiers et de toutes les professions. On y trouve, en effet, au côté de l'homme de lettres, un fabricant de fers à cheval, un négociant en vins, un cultivateur, un tanneur, un typographe, un avoué, un propriétaire, un commissaire... Melting-pot uni sous un même slogan : « République, démocratie, respect de la Constitution et de la loi, progrès, ordre et liberté, honnêteté et travail. » Tout en promettant de se limiter aux « ressources ordinaires du budget », l'équipe annonce son programme :

– Ordre rigoureux dans les finances.

– Embellissement de la ville.

– Multiplication des institutions destinées à améliorer le sort des travailleurs.

– Achèvement de l'organisation des écoles.

Dès le mois d'avril, une rude campagne électorale oppose « rouges » et « réactionnaires ». D'un côté, on évoque « les concussions, les vols, les gaspillages, les attentats à la liberté, au bons sens et à la tradition dont se sont rendus coupables les républicains. » De l'autre, on réplique avec indignation : « Nous mettons au défi nos adversaires de citer un seul membre du conseil municipal républicain auquel aucune de ces accusations puisse s'appliquer... Il faut avoir une bien mauvaise cause à défendre pour recourir à des attaques aussi peu loyales[1]. » On lance des bruits ridicules, invérifiables, on fait dans la démagogie et la médisance. On accuse Frédéric Petit de ne jamais

1. *Le Progrès de la Somme,* 25 avril 1888.

donner de pourboires aux cochers, on soupçonne son opposant Albert Deberly de comploter contre les libertés...

Jules Verne est bien éloigné de ces luttes. Avec *Famille sans nom,* il est perdu quelque part près des chutes du Niagara au moment de la révolte canadienne contre la domination anglaise... C'est donc sans grande anxiété qu'il voit arriver le dimanche 6 mai, jour du premier tour de scrutin.

Pour faire face aux rumeurs qui courent sur les douteuses positions politiques de l'écrivain, l'édition dominicale du *Progrès de la Somme* se croit autorisée à faire une énergique mise au point : « On accuse M. Jules Verne d'être un orléaniste. Ce n'est pas vrai. En dehors de ses relations privées auxquelles personne n'a rien à voir, M. Jules Verne, cette gloire de notre cité, s'est toujours conduit en loyal républicain. Sa présence même sur la liste de M. Frédéric Petit est garante de ses opinions. Ces accusations, ces insinuations, ne sont que des moyens imaginés pour semer la division parmi nous et faire les affaires de la réaction. Électeurs républicains, vous ne vous laisserez pas piper à ce jeu de dupes. »

Les élections se déroulent dans le calme, à l'exception de la section de Montières où Léon Hollande, fils d'un candidat conservateur et sergent des pompiers, surgit bruyamment dans le bureau de vote avec huit de ses hommes en uniforme, tous éméchés, brandissant les bulletins de la liste de papa ! Les républicains se récrient contre cet attentat à la sérénité démocratique.

À deux heures du matin, dans la grande salle de

l'hôtel de ville[1], bondée et surchauffée, les résultats annoncés font apparaître un recul des conservateurs. Des cris éclatent :

– Vive la République !

Pourtant, sur les trente-six conseillers à élire, neuf candidats seulement obtiennent la majorité absolue dès le premier tour, parmi eux le cousin Paillat et le Dr Lenoël. Tous les autres sont en ballottage. Le système électoral permet, en effet, de glisser une liste mais en y biffant, à volonté, certains noms.

Même s'il doit se représenter au second tour, l'écrivain peut être satisfait de son score : il a obtenu un peu plus de voix que le maire sortant ! Sur 14 680 suffrages exprimés, 6 598 votants ont glissé dans l'urne une liste comprenant le nom de Jules Verne, 6 025 ont retenu celui de Frédéric Petit.

Le surlendemain, dans *Le Progrès de la Somme,* les électeurs découvrent un démenti signé Jules Verne. Il s'élève avec indignation contre la note publiée le jour de l'élection dans l'intention de le faire passer pour authentique républicain : « Lorsque *Le Progrès de la Somme* a paru dimanche matin, il était trop tard pour que je puisse répondre avant le scrutin. Je ne sais ce qui a pu autoriser votre journal à penser que j'aie jamais rien changé aux opinions politiques qui ont été celles de toute ma vie. J'appartiens au parti conservateur et c'est quoique conservateur que j'ai été admis sur la liste de M. le Maire d'Amiens dans le but d'obtenir un mandat purement administratif. Cette

1. Sans doute l'ancienne salle des fêtes située au premier étage, juste au-dessus de l'actuelle salle du conseil municipal.

admission, me semble-t-il, est tout à l'honneur de M. Frédéric Petit et je crois que je fais acte de bon citoyen en lui offrant mon concours dans la lutte contre l'intransigeance municipale. Maintenant il n'y a plus d'équivoque entre les électeurs et moi. »

Pour toute réplique, *L'Écho de la Somme,* journal conservateur, pose cette question : « De quel côté se trouve l'intransigeance municipale évoquée par le candidat ambivalent ? » Riposte modérée, réservée au postulant Verne, homme consensuel que nul n'ose attaquer de front.

Ailleurs, à gauche comme à droite, les rancunes s'expriment, les anathèmes pleuvent, les scissions interviennent. Personne n'est satisfait des résultats sortis des urnes : les républicains n'ont pas réussi une percée définitive, les conservateurs sentent la mairie leur échapper. Avant le second tour, une demi-douzaine de petites listes apparaissent : Alliance républicaine, Électeurs ouvriers, Opposition radicale, Protestation patriotique, Républicains indépendants et même un candidat abstentionniste !

Pendant ce temps, le jeudi précédant l'élection, Jules Verne, paisible, assiste de l'usine à gaz de Saint-Maurice à l'envol d'un aérostat qui porte son nom. Le *Jules-Verne* s'élève au-dessus d'Amiens, comme si le candidat voulait, lui aussi, prendre de la hauteur et s'élever au-dessus des vaines escarmouches partisanes.

Le dimanche suivant, 13 mai, malgré l'émiettement dû à la multiplication des listes, les républicains l'emportent. Jules Verne est élu avec 8 591 voix sur 14 000 bulletins. Frédéric Petit, qui a subi une campagne très dure de diffamation et de dénigrement, retrouve son mandat à l'arraché, avec 6 884 suffrages.

Samedi matin 19 mai, l'installation du nouveau conseil municipal réunit dans la grande salle de l'hôtel de ville une affluence qui déborde le long des couloirs et s'étire jusque dans la cour. À huit heures, la cloche du beffroi sonne à toute volée pour l'ouverture de la séance. La foule frémit. Profitant de la cohue, certains tentent de pénétrer dans la salle et un cordon de policiers a bien du mal à retenir les plus exaltés.

À huit heures vingt-cinq, l'huissier annonce solennellement l'arrivée du conseil municipal. Les trente-six élus font leur entrée dans la grande salle au plafond lambrissé. Boitillant, appuyé sur sa canne, Jules Verne cherche la place qui lui est réservée... Après quelques instants de flottement, tout le monde a trouvé son siège, alors Frédéric Petit, en sa qualité de maire sortant, s'adresse à chacun :

– Acceptez-vous vos fonctions ?

Et tous de répondre par un sonore « J'accepte. » Cette cérémonie terminée, Frédéric Petit quitte le fauteuil présidentiel et le cède à Michel Vion, doyen d'âge de l'assemblée. C'est lui qui va veiller au bon déroulement de l'élection du nouveau maire. Quand tous les conseillers ont jeté leur bulletin de vote dans l'urne tendue par l'huissier, le dépouillement est sans surprise : Frédéric Petit est réélu par trente-cinq voix sur trente-six.

La cloche du beffroi sonne et, dans la cour, la fanfare du faubourg de Hem fait éclater les accents de *La Marseillaise.* Alors le maire d'Amiens monte à la tribune et prononce un long discours. Il trace son programme pour les quatre années à venir, parle de progrès, évoque la démocratie et termine sur un appel qui voudrait réunir toutes les forces de la nation. Et son cri claque comme un drapeau :

– Vive la République !

Tous les conseillers municipaux applaudissent. Tous. Sauf Jules Verne. Lui, il n'est pas venu là pour ovationner la République et brandir une quelconque bannière politique. Il attend de se mettre à la tâche pour rendre la ville plus douce à ses habitants.

XIII

LE CIRQUE MUNICIPAL

Nommé, à sa demande, membre de la Quatrième Commission du conseil municipal, Jules Verne est chargé, avec sept de ses collègues, de traiter les questions concernant l'instruction, le musée, le théâtre, les beaux-arts, les fêtes et les dénominations de rues. Ce qui ne l'empêche pas, évidemment, de prendre la parole sur des sujets très divers.

Dès la première réunion du conseil, le 27 juin 1888, le nouvel élu prend ses fonctions très au sérieux. Ce jour-là, le débat porte sur le projet de création d'un marché bihebdomadaire place Montplaisir. Jules Verne interroge le maire :

– S'agit-il d'un marché d'approvisionnement complet ?

– Le marché pourra comprendre tout ce qui est approvisionnement.

– Même le poisson ? s'inquiète l'écrivain.

Cette curiosité ménagère provient peut-être de la proximité du nouveau marché avec son domicile.

Au cours de la séance du 17 août, Jules Verne en vient à évoquer un problème qui le préoccupe depuis longtemps : les fumées lâchées en ville par les locomotives. Si le vacarme des motrices défilant sous ses fenêtres ne le gêne pas le moins du monde, les odeurs de combustion lancées pas les machines lui sont absolument insupportables.

– Plusieurs fois par jour, les tunnels qui se trouvent au boulevard Longueville et au boulevard Saint-Michel[1] laissent échapper, pendant plusieurs minutes, une fumée âcre comme celle qui sort d'une cheminée d'usine ; l'air en est absolument empesté... Ne pourrait-on proposer *[aux compagnies de chemin de fer]* la mesure suivante, consistant à maintenir les locomotives en pression afin qu'il ne fût pas nécessaire de charger les grilles pendant le passage à travers la ville. Ce passage dure au plus quelques minutes. Nous serons exposés, il est vrai, j'en parle un peu par moi-même, à avoir beaucoup de vapeur, mais la vapeur se condense et n'a aucune espèce d'inconvénients ; quant aux inconvénients de la fumée, les personnes demeurant en bordure de la voie de chemin de fer peuvent seules s'en faire une idée.

Le maire soupire : une telle demande, faite trois ou quatre ans auparavant, n'avait été suivie que d'une légère et éphémère amélioration, et très vite les perturbations avaient réapparu... La question présente désormais un caractère d'urgence. Jules Verne sait que les nouvelles locomotives sont pourvues d'appareils perfectionnés qui leur permettent de brûler des charbons de qualité inférieure, dispersant dans le ciel d'Amiens de véritables nuages de suie.

1. Actuel boulevard de Belfort.

Au cours des semaines suivantes, il va plaider la cause antipollution auprès de l'inspecteur principal de la Compagnie des chemins de fer du Nord. L'affaire remonte jusqu'à Paris et le conseiller obtient satisfaction : l'ingénieur en chef du matériel et de la traction diffuse auprès du personnel un ordre de service interdisant le rejet du combustible grillé pendant la traversée de la ville.

Ce sera désormais un souci constant du conseiller Verne : adapter le progrès au respect de l'environnement. L'auteur de *Vingt Mille Lieues sous les mers* ne veut pas tout sacrifier à la civilisation technique. Déjà, il comprend que la machine risque de dévorer l'homme et de dégrader son milieu naturel.

Soucieux de tous les problèmes soumis à la municipalité, Jules Verne est surtout attentif aux représentations théâtrales. En sa qualité de membre de la Quatrième Commission, il est chargé de dresser les rapports d'activité de la salle amiénoise. Plusieurs fois par semaine, il occupe avec Honorine la loge municipale et assiste aux grands succès du temps : *Les Deux Orphelines, la Tour de Nesle, Les Misérables, Le Maître de forges*... Mais sa conscience d'édile ne le pousse pas à rester sur son fauteuil jusqu'au tomber du rideau. Le plus souvent, il s'éclipse avant la fin et s'en va souper en face, à l'hôtel Continental[1].

Désormais incapable de voyager avec son pied blessé, il se crée mille obligations qui l'attachent à

1. Cet hôtel a été démoli en 1920.

Amiens. Sa vie est rythmée par les conseils municipaux, les commissions et les clubs. Il est fait membre de toutes les sociétés, adhère à toutes les associations, accepte tous les mandats. Il se dit « ignorantin » en matière florale mais entre à la Société d'horticulture. Il est élu dans de nombreuses commissions administratives : musée de Picardie, Archives municipales, Bibliothèque municipale, Caisse des écoles, Bureau de bienfaisance... Il est partout.

Cette année 1888, un autre bouleversement vient transformer sa vie : il se réconcilie une fois encore avec son fils. Flanqué de Jeanne et de ses deux petits garçons, Michel quitte bien souvent son appartement du boulevard Pereire, à Paris, pour venir à Amiens voir ses parents. Il peut reprendre sa place de fils que son cousin Gaston lui avait, un temps, disputée. Jules Verne est heureux de deviner en sa nouvelle bru un petit bout de femme énergique et volontaire, peu impressionnée par les grandes colères de son compagnon et bien décidée à le pousser dans la carrière des lettres. En effet, à vingt-huit ans, l'enfant terrible se découvre une soudaine vocation romanesque. Et il semble assez talentueux. Sous le titre générique *Zigzags à travers la science,* le supplément littéraire du *Figaro*[1] publie, de mai à novembre 1888, une série de

1. Le principal récit du cycle, *Un express de l'avenir,* sera longtemps attribué à Jules Verne. Dans ce texte, Michel imagine l'Europe et les États-Unis reliés par des tubes sous-marins dans lesquels circulent des trains propulsés par de l'air comprimé.

neuf textes signés Michel Jules-Verne. Le fils s'engouffre dans la gloire du père.

Le géniteur estime assez les capacités stylistiques et imaginatives de sa progéniture pour lui demander d'être son « nègre » : la revue new-yorkaise *The Forum* a commandé au célèbre écrivain une nouvelle inédite en anglais, l'auteur est bien incapable d'écrire dans cette langue et, plutôt que d'avoir recours à la traduction, il abandonne le pensum à son fils. *In the Year 2889* est à nouveau un récit d'anticipation. En suivant la journée agitée d'un patron de la presse américaine au XXIXe siècle, le lecteur découvre la vision d'un avenir lointain où le cosmos est conquis, la publicité projetée sur les nuages et les images retransmises à travers le monde par téléphone... La nouvelle paraît en février 1889 et Jules Verne en informe son éditeur : « L'article dont je vous ai parlé pendant votre visite à Amiens a paru dans le *Forum* de New York ; après arrangement entre Michel et moi, il a été entièrement écrit par lui (ceci entre nous) et il paraît avoir beaucoup plu. » Le texte sera payé mille francs par le magazine américain, la moitié de cette somme sera discrètement reversée au véritable auteur. Deux ans plus tard, sous le titre : *La Journée d'un journaliste américain en 2890,* le père adaptera le récit en français pour le *Petit Journal,* ajoutant des petites touches d'observation au ton rapide et nerveux de Michel.

Le père envisage-t-il une fusion littéraire avec son fils ? Il lui commande un roman dans le plus pur style vernien. Ce sera *L'Agence Thompson and C^o^* qui paraîtra bien plus tard, en 1907, encore une fois sous la seule signature prestigieuse de Jules Verne.

L'illustre auteur poursuit seul pourtant l'essentiel de

son œuvre. Il écrit *Le Château des Carpathes,* roman touffu et dense où la femme prend une place considérable en la personne de la belle cantatrice Stilla, morte sur scène, mais dont la voix et l'image perdurent grâce au miracle de l'électricité. L'auteur met toute son âme dans ce texte longuement élaboré, troublante réflexion sur l'art et l'illusion. En même temps, il développe le personnage du savant fou, déjà présent dans *Robur-le-Conquérant* et qui, sous différents avatars, devient un héros récurrent des *Voyages extraordinaires.*

Exceptionnellement, ce récit donne aussi une place prépondérante à ce que Pierre-Jules Hetzel appelait jadis « le mot du cœur » et le personnage féminin, même sous la forme de remords et de réminiscences, envahit les pages. Jules Verne conserve pourtant la réputation bien ancrée d'être un auteur misogync. Habituellement, il est vrai, ses romans exposent des aventures viriles où la femme n'a qu'un rôle accessoire. À son éditeur, il avait expliqué combien il lui était malaisé d'évoquer des sentiments amoureux et devant Marie Belloc, journaliste de la revue anglaise *The Strand Magazine,* il se fait plus disert. Elle lui reproche de ne donner au beau sexe qu'une petite part dans ses aventures, il se justifie :

– L'amour est une passion absorbante et laisse très peu de place dans les cœurs ; mes héros ont besoin de tous leurs esprits et la présence d'une charmante jeune dame pourrait de temps à autre gêner leur entreprise. De plus, j'ai toujours souhaité que mes histoires puissent être placées sans la moindre hésitation entre les mains de tous les jeunes et j'évite scrupuleusement toute scène qu'un garçon n'aimerait pas que sa sœur lise[1].

Pourtant, il se permet bien souvent des jeux de mots ou des contrepèteries à ne pas laisser s'égarer entre toutes les mains. Le nom de la maison Bulbul and C° de *Claudius Bombarnac* ne doit-il pas se lire Culcul and Beau ? Dick Kennedy, héros de *Cinq Semaines en ballon,* peut-il vraiment s'entendre « Dis queue – Queue ne dis » comme l'ont suggéré certains analystes ? Et ne trouve-t-on pas aussi, au détour de l'œuvre, quelques descriptions suggestives ? Dans *Le Testament d'un excentrique,* l'extrême pointe de la Floride devient « le bout de la queue de cette presqu'île qui trempe dans le golfe du Mexique ». Dans *Un capitaine de quinze ans,* le navire « glissa rapidement sur ces eaux lubrifiées et pointa droit... » L'auteur écrit pour les enfants mais adresse des signes de connivence aux parents.

Si Jules Verne a parsemé ses ouvrages d'allusions coquines, il offre un visage plus grave à ses collègues de l'hôtel de ville. À l'occasion, il fait même bénéficier les édiles de sa vaste culture. Dans sa séance du 26 juin 1889, le conseil municipal se penche sur les dénominations de rues, tâche qui, on l'a vu, revient particulièrement à la Quatrième Commission, celle à laquelle appartient l'écrivain. Il est question de donner à la place du Palais-de-Justice le nom de D'Aguesseau, un chancelier de France du XVIIIe siècle dont

1. « Jules Verne at home », *The Strand Magazine,* février 1895.

l'aïeul, Antoine, lieutenant criminel[1] au Châtelet et président du Grand Conseil, était né à Amiens... Quelques élus hésitent. Est-il bien pertinent d'adopter cette dénomination ? Place du Palais-de-Justice... n'est-ce pas plus judicieux ? Jules Verne s'écrie :

– Le palais de justice peut disparaître mais d'Aguesseau est immortel.

Il n'est pas certain que le nom de D'Aguesseau ait été aussi impérissable que le suggérait Jules Verne... Mais le palais de justice, lui, est toujours debout. Il est parfois imprudent de prendre des paris sur l'avenir et plus raisonnable de s'en tenir à des noms adoptés par l'usage.

Quelques instants plus tard, les conseillers évoquent le sort de la rue des Capettes. Certains préconisent une nouvelle appellation qui ferait oublier l'ancien couvent des Capettes...

Jules Verne se sent obligé de donner à ses collègues une petite leçon d'histoire :

– C'était tout simplement le nom que l'on donnait aux écoliers sous Louis XI. Si vous prenez la peine de lire le roman de Victor Hugo *Notre-Dame de Paris,* vous y verrez ce nom avec deux p. Par conséquent, c'est absolument comme si cette rue s'appelait rue des Écoliers ou des Escholiers.

Cette démonstration n'empêche pas le conseil municipal de débaptiser la rue et de lui attribuer le nom du statuaire picard Théophile Caudron.

1. Un lieutenant criminel était un lieutenant de police.

Loin de ces doctes ergotages, le grand événement amiénois de 1889 est l'inauguration du Cirque municipal, place Longueville. Un cirque en bois, destiné aux festivités de la foire de la Saint-Jean, existait à cet emplacement depuis quinze ans, mais le bâtiment provisoire se dégradait lentement et les édiles avaient jugé indispensable de construire un édifice permanent. Pourtant, l'importance du chantier et son prix faramineux retardaient la décision définitive.

Finalement, le 17 août 1887, Frédéric Petit parvint à faire adopter le projet par son conseil municipal. Dès lors, il fallut agir vite afin d'être prêt pour 1889, l'année du centenaire de la Révolution. L'architecte en chef du département de la Somme, Émile Ricquier, était chargé d'imaginer et de dessiner le monument. Il s'acquitta de cette tâche avec la rigueur et le talent qu'on lui connaissait. Amiens ne lui devait-il pas déjà l'hôtel des postes, le lycée de jeunes filles et l'école normale ? Les fondations furent creusées immédiatement et, en octobre, coupes, élévations et maquettes étaient soumises au conseil général des Bâtiments civils à Paris. Charles Garnier, architecte de l'Opéra et rapporteur de la commission, consentit à approuver les plans présentés, mais en y apportant de multiples rectifications.

Le Cirque d'Amiens serait un polygone de quarante-quatre mètres de diamètre et de seize côtés, une combinaison de style romain et de Renaissance italienne, dans lequel on pénétrerait par un portique fait à l'image d'un temple antique, avec fronton et colonnades. La modernité et le progrès se liraient dans l'assemblage de fer, de brique, de bronze et de cuivre, dans le système électrique capable d'illuminer douze lampes à arc et deux lampes à incandescence, dans la cheminée extérieure devenue colonne monumentale dressée sur son porche.

Au mois de novembre, la ville contractait un emprunt de 250 000 francs, montant du devis établi par Ricquier. Très vite, on s'aperçut que le projet était un gouffre financier. L'architecte avait nettement sous-estimé les coûts et d'innombrables difficultés surgirent. D'anciennes fortifications mises au jour retardèrent les travaux, l'entrepreneur chargé de fournir les fers augmenta ses tarifs et, surtout, pour satisfaire partisans du gaz et tenants de l'électricité, il fallut partager : éclairage électrique et chauffage au gaz. Décision démocratique qui n'allait pas dans le sens de l'économie. Dès le 22 septembre 1888, *L'Écho de la Somme* ironisait : « Bons contribuables, apprêtez-vous à mettre la main à la poche » et affublait le maire d'un surnom versaillais, « Louis XIV aux petits pieds ». En effet, les prévisions les plus pessimistes étaient bientôt dépassées, la facture globale s'élevant à plus de trois fois le devis initial : exactement 815 630 francs et 30 centimes.

Jules Verne, entré au conseil municipal bien après le début de la construction, n'avait participé ni aux décisions techniques ni aux choix artistiques. Tout juste avait-il pu, en avril 1889, prendre part aux débats sur la vente par adjudication du zinc et du bois provenant de la vieille bâtisse de planches désormais inutile.

Le Cirque municipal à peine achevé, les adversaires politiques de Frédéric Petit se déchaînent. L'architecte

Émile Ricquier, dont la carrière se déroule sous la protection du maire républicain, devient la cible principale de la contestation. *La Picardie,* organe de l'opposition de gauche, s'en prend à l'esthétique et à la solidité du bâtiment, répétant à longueur de numéros que la charpente de fer s'écroulera dès les échafaudages retirés...

Malgré ces sinistres augures, la toiture résiste et Jules Verne se fait le thuriféraire acharné de l'ouvrage. Tout lui plaît dans cette réalisation, le style à la fois moderne et traditionnel, les panthères ailées du portique, l'élégance de la coupole, la frise polychrome parsemée de figures féminines. Ce bâtiment n'est-il pas aussi un peu le sien ? Voilà déjà treize ans, imaginant sa *Ville idéale* devant l'Académie d'Amiens, il avait entrevu dans la cité de l'an 2000 « un vaste monument de forme hexagonale, avec une superbe entrée... à la fois un cirque et une salle de concert ». Il n'en faudra pas plus pour que les Amiénois de l'avenir attribuent à l'écrivain tout le mérite du Cirque municipal.

Le dimanche 23 juin 1889, le maire et Émile Ricquier, en butte à une violente campagne de dénigrement, ont l'habileté diplomatique de laisser le conseiller municipal Jules Verne inaugurer leur œuvre. Artiste reconnu, à l'écart des luttes partisanes, il parviendra aisément à faire adopter par les habitants cette coûteuse mais nécessaire réalisation. Au programme de la soirée : un concert donné par l'Harmonie d'Amiens et un discours du célèbre auteur. Les trois mille places sont occupées et, adoptant le rôle du tribun, l'élu se lance dans une vibrante défense et illustration de l'action municipale :

– Oui ! Amiens peut s'enorgueillir de posséder *[ce Cirque]*. Ce qu'il en coûtera, je n'en sais rien ! Mais ce que je sais, c'est qu'il vaudra son prix, c'est qu'il rapportera largement à la ville l'intérêt de ce qu'il lui aura coûté. Et d'ailleurs, le présent s'est-il jamais inquiété de savoir si les architectes du passé étaient restés fidèles à leur devis, et l'avenir se plaindra-t-il si les architectes du présent les ont plus ou moins dépassés ? Non ! Le devoir du présent, c'est d'être le bienfaiteur de l'avenir. Un monument s'imposait sur cette place, et, si nos arrière-petits-fils ne se montrent pas reconnaissants envers l'administration amiénoise, c'est que la reconnaissance ne sera plus de ce monde !

Le conférencier se montre tout aussi dithyrambique sur les conceptions imposées par Ricquier :

– Le nouveau Cirque est une œuvre d'art que votre administration municipale a voulu doter de tous les perfectionnements de l'industrie moderne. C'est le plus beau, sans conteste, c'est aussi le plus complet, par ses aménagements et son outillage, qui ait été édifié en France et à l'étranger. Il est solidement et correctement construit. Il saura résister au secousses des gymnastes dont les trapèzes se balanceront à ces fermes. Il résisterait même aux secousses autrement redoutables des meetings, si – ce qu'à Dieu ne plaise – il devait jamais servir de théâtre aux luttes de la politique contemporaine ! Le talent de son architecte lui assure toute cette longévité que la nature accorde, dans l'ordre matériel, aux travaux les plus parfaits de l'homme.

Cette apothéose ne désarme pas la vindicte de *La Picardie*. Dix jours plus tard, la feuille publie quelques couplets ironiques à chanter sur l'air de *Cadet Roussel* :

M'sieur Jules Verne était heureux,
Littérateur, homme chanceux
Avec Strogoff, Le Tour du monde,
Chaque recette était fort ronde.
Ah ! ah ! ah ! oui vraiment,
M'sieur Jules Verne était brillant.

Mais hélas ! un jour de guignon,
Il fut mordu par l'ambition
Il voulait faire un peu de tapage
Et devenir un gros personnage...

Et lorsqu'il fallut tant bien qu'mal
Parler du Cirqu'municipal
C'est lui qu'eut la vilaine corvée
De chanter d'Ricquier la r'nommée.
Ah ! ah ! ah ! oui vraiment,
Il dut trouver l'truc embêtant.

En fait de « truc embêtant », Jules Verne est bien plus assommé, durant ce mois de juillet, par une virée en Normandie, à Villers-sur-Mer où séjourne Adolphe d'Ennery. Il s'agit, une fois encore, de tenter d'adapter à la scène *Les Tribulations d'un Chinois en Chine,* une affaire qui s'éternise depuis deux ans. Les séances de travail se succèdent inutilement : le travail n'avance toujours pas. Après deux versions successives, d'Ennery exige encore de nouvelles modifications. Exaspéré, l'auteur se cabre et renonce à porter sur les planches son aventure chinoise. La pièce ne verra jamais les feux de la rampe. Brouillé avec le plus inspiré de ses collaborateurs, Jules Verne abandonne définitivement le théâtre. Il n'adaptera plus aucun de ses romans pour la scène.

Cela réglé, il file non loin, aux Petites-Dalles, pour retrouver sur la plage de galets Michel, Jeanne et leurs deux garçons. Mais les déplacements le fatiguent et les contrariétés le rongent. Il suit un abominable régime lacté prescrit par les médecins, ce qui n'apaise ni ses maux de ventre ni ses vertiges. Autre souci : sa blessure au talon ne cicatrise pas et se remet à saigner périodiquement. Pointes de feu appliquées sur la plaie pour la cautériser et lavages d'estomac pour le débarrasser de ses coliques n'apportent aucun soulagement. Le malade ne trouve le repos et la sérénité que dans l'écriture. « Que deviendrais-je, grands dieux, si je ne travaillais pas six à sept heures par jour ! » confie-t-il à Hetzel fils.

Il vient de terminer *Sans dessus dessous,* roman où des savants fous cherchent à modifier l'inclinaison de l'axe de la Terre afin d'exploiter plus facilement les mines de charbon de la calotte polaire, mais cette fois la science échoue en raison d'une banale erreur de calcul...

Jules Verne vieillissant ne fait plus confiance aux savants et ne semble plus croire à des lendemains radieux générés par le progrès. Ici, la science est prise en défaut et l'avenir brillant de l'humanité se dissout dans une affaire de gros sous. Pour ce requiem pessimiste, l'auteur a voulu un raisonnement mathématique sans faille. Afin de détailler exactement machines et tentatives, il s'est attaché les services et les conseils d'Albert Badoureau, ingénieur des mines en poste à Amiens, et livre, en annexe, les calculs rigoureux de son collaborateur. Pied de nez à tous ceux qui, comme l'astronome Camille Flammarion, l'accusent de fonder ses récits sur des informations imprécises.

Au mois de novembre, Jules Verne corrige les ultimes épreuves de cet ouvrage quand Robert Sherard, correspondant à Paris du quotidien new-yorkais *The World,* vient lui demander de recevoir chez lui, pour une brève visite, Nellie Bly, jeune fille courant autour du monde dans le seul but de battre le record détenu par Phileas Fogg ! Véritable produit marketing du *World,* Nellie Bly est présentée comme la première femme reporter de l'Histoire, la personnification du rêve américain, et ses exploits autour du globe sont délayés chaque jour à la une du journal yankee. Une rencontre entre l'auteur du *Tour du monde en quatre-vingts jours* et la journaliste serait le fil rouge qui relierait l'imaginaire Mr. Fogg et la très réelle Miss Bly.

L'auteur, agacé par ces enfantillages qui lui paraissent totalement dénués du moindre intérêt, voudrait refuser, mais son sens de l'hospitalité et sa galanterie lui font un devoir d'accepter le vigoureux shake-hand que veut venir échanger à Amiens l'intrépide voyageuse. Le 22 novembre, entre deux trains, elle trouve le temps d'un rapide crochet par la Picardie.

Vers seize heures, Jules et Honorine, traînés par Sherard, sont sur le quai de la gare à faire le pied de grue... Le train a du retard, il arrive enfin. La jeune fille en descend, présentations, congratulations. Tout le monde se rend rue Charles-Dubois, les femmes dans un fiacre, les hommes dans un autre. Face à face sur la banquette de la voiture, Honorine et Nellie s'adressent des sourires gênés et polis, la première ne parle pas l'anglais et la seconde ne connaît du français que le mot « oui », ce qui limite sérieusement la conversation.

Dans la maison à la tour, devant un revigorant feu de cheminée, Jules Verne débouche une bonne bouteille de vin à laquelle la vertueuse globe-trotter ne touche pas. Une fois de plus, l'auteur doit raconter comment l'idée lui vint, en lisant un article de presse, d'écrire son *Tour du monde,* il évoque son bref séjour aux États-Unis, lance quelques compliments d'usage... Sherard assure méticuleusement la traduction et ne manque pas un mot de ces immortelles paroles. Et puis, il faut visiter le cabinet de travail de l'écrivain. À la queue leu leu on gravit l'escalier dans la tour et, dans le soir tombé, Honorine a allumé une lampe à pétrole dont la lumière jaune projette sur le mur des ombres distordues... Chantre ardent du progrès, Jules Verne n'a pas encore jugé bon de faire pénétrer l'électricité dans sa demeure.

Après une visite au bureau sur lequel trône les dernières épreuves de *Sans dessus dessous,* Nellie jette un coup d'œil discret à son poignet. Elle porte une montre-bracelet, nouveauté bien pratique pour ne pas rater les correspondances : il est temps de se séparer si elle veut avoir le temps de monter dans le train pour Boulogne et sauter dans l'express qui doit la conduire à Brindisi.

– Comment dit-on en anglais « Bonne chance » ? interroge Jules Verne.

– *Good luck !* répond le journaliste-interprète.

– Très bien. *Good duck !* Nellie et bon... non, *good return !* Oh, c'est *good luck,* pas *good duck ?* Bon, c'est sans importance, le sentiment est le même de toute façon.

Dans les jours suivants, la rédaction du *World* tire de cette expéditive rencontre amiénoise toute la substantifique moelle publicitaire : les vœux de Jules Verne résonnent comme un label d'authenticité pour un tour du monde. Les paroles du maître sont distillées sur plusieurs numéros, avec portraits dessinés et commentaires laudatifs à l'appui. L'œuvre du père de Phileas Fogg trouve par ce biais un second souffle dans le Nouveau Monde, ses romans sont réédités et un théâtre new-yorkais affiche bientôt une nouvelle version scénique du *Tour du monde en quatre-vingts jours.*

D'autres chroniqueurs se précipitent rue Charles-Dubois, anxieux de recueillir les impressions de l'écrivain face au rêve de Phileas Fogg devenu réalité. À l'envoyé spécial de la *Pall Mall Gazette* de Londres, l'auteur chante surtout les charmes de sa ville :

– J'aime Amiens, j'aime son air d'Ancien Monde et la quiétude de ses rues étroites. Et puis j'y ai ma famille et ses attaches. Si bien que, condamné à une vie sédentaire à cause de ma mauvaise santé, je préfère rester ici plutôt que dans un Paris agité.

Pendant ce temps, la course autour du monde de Nellie Bly devient aussi une affaire picarde. *L'Écho de la Somme* suit le parcours de la jeune fille étape par étape et Jules Verne s'inquiète quand les conditions météorologiques dressent des obstacles sur la route de la journaliste. Finalement, elle remporte aisément son pari, bouclant son circuit en soixante-douze jours.

Tout de même un peu contrarié par le rôle ridicule de faire-valoir qu'on lui a fait jouer, Jules Verne attend au moins un mot de remerciement du rédacteur en chef du *World*. Mais il ne voit rien venir. Robert Sherard câble à New York et réclame pour son hôte amiénois un petit message de courtoisie... On lui répond sèchement, à la manière américaine, abrupte et efficace : « Le vieil homme a bénéficié d'une bonne réclame et n'a aucune raison de se plaindre. »

XIV

BÂBORDAIS ET TRIBORDAIS

Chaque après-midi, rue des Trois-Cailloux, Jules Verne, appuyé sur sa canne, trottine en claudiquant pour aller boire son verre de lait chez le traiteur Sibert. Et puis, quand il y a séance du conseil municipal, il se dirige vers l'hôtel de ville.

Régulièrement, il doit faire son rapport sur l'exploitation du théâtre. Tout est passé au crible par la Quatrième Commission : qualité des spectacles, programmation, gestion, éclairage. Quant à l'engagement des artistes, il est soumis aux suffrages d'examinateurs, tous abonnés du théâtre. Ce 21 janvier 1891, la grande question porte sur l'opportunité d'accorder, en cette matière particulière, le droit de vote aux femmes. En effet, ces messieurs ne se bousculent guère pour participer aux consultations et la présence des dames étofferait un peu le jury. Jules Verne est dubitatif :

– Pour mon compte, je ne verrais aucun inconvénient à ce que les dames fussent appelées à prendre part au scrutin ; seulement c'est là une innovation très particulière et qui, je crois bien, n'a jamais été introduite dans aucun théâtre de France. En politique, nous n'appelons jamais les dames à voter ; y aurait-il lieu de les admettre à se prononcer dans les questions artistiques ?

– Eh bien, nous servirions d'exemple ! lance un conseiller.

En fait, l'écrivain redoute la promiscuité entre les bourgeoises et les femmes légères :

– Malheureusement, au théâtre d'Amiens, et c'est un grand ennui pour nous, la société des dames est très mêlée. Vous obligeriez donc à se coudoyer, dans les coulisses et au scrutin, des dames qui ne sont pas déjà très heureuses de se voir en face l'une de l'autre lorsqu'elles sont à l'amphithéâtre. Nous sommes désarmés devant cette espèce de prostitution, disons le mot absolu, et peut-être l'inconvénient s'augmenterait-il encore du contact immédiat entre les dames comme il faut et les dames comme il en faut.

Jules Verne est parvenu à mettre les rieurs de son côté. La proposition est repoussée.

Le mois suivant, on parle des lignes téléphoniques à tirer entre Paris, Amiens, Arras, Douai et Lille. Un investissement important : la dépense totale se monte à quatre-vingt-treize mille francs dont le tiers est à payer par la seule ville d'Amiens. Une somme bien trop lourde pour son budget. La chambre de commerce vient au secours de la cité et lance une souscription. La part de la municipalité est ainsi réduite à mille francs. La contribution est votée à la grande satisfaction de Jules Verne qui insiste pour que les travaux puissent commencer rapidement.

Lui qui déteste parler en public et qui n'est pas un brillant orateur est sollicité partout. L'adjoint du maire, Alphonse Decaix-Matifas, agriculteur à Renancourt, est aussi le président de la Société d'horticulture dont Jules Verne a imprudemment accepté de faire partie.

– Mon cher Collègue, nous aurons une assemblée générale publique le 22 février, je serais enchanté si vous vouliez nous gratifier d'une lecture... Une lecture sur les fleurs, les arbustes, les jardins...

L'écrivain est effrayé :

– Mais je n'y entends rien ! Je ne sais même pas distinguer le géranium de la bourrache, ni le convolvulus du rhododendron !

Le président insiste et Jules Verne ne sait pas dire non. Sans comprendre ni comment ni pourquoi, il se retrouve donc, quelques jours plus tard, lancé dans un exposé spirituel et délirant devant une assemblée attentive d'horticulteurs passionnés :

– Mesdames et Messieurs, tout cela, c'est de la faute de notre mère Ève. À l'époque où la Bible la fait vivre, qu'était le Paradis terrestre ? Un beau jardin de la Mésopotamie, entre le Tigre et l'Euphrate, où poussaient des végétaux que ne décorait aucun nom scientifico-barbare. Adam en était le jardinier en chef ; mais le pauvre homme n'a pas eu la main heureuse pour ses plantations ! En effet, dans ce jardin, il y avait des arbres à fruits, des pommiers, sur ces pommiers des pommes, et peut-être, Mesdames, trouverez-vous tout naturel que votre gourmande de grand-mère en ait croqué une de ses jolies dents. Cependant, c'est de là, vous le savez, que nous sont arrivés tous les maux sublunaires, tous les désagréments terrestres ! Et, en est-il un plus grand que celui d'être venu un beau dimanche s'enfermer dans cette salle, moi pour vous parler de ce que je ne savais pas, et vous pour m'entendre !

En mai, Jules Verne arrive au conseil municipal avec une suggestion qui témoigne de ses principes démocratiques mais sidère ses collègues : il veut faire transporter au musée de Picardie les plus beaux tableaux accrochés à l'hôtel de ville ! Il a compté une vingtaine de peintures qui mériteraient d'être offertes au regard des Amiénois, pour la plupart œuvres de petits maîtres du début du XIXe siècle dont certains ont laissé un souvenir dans l'histoire de l'art : Eugène Goyet, Pierre Thuillier, César Vanloo, Jules-Claude Ziegler.

– Qu'est-ce qu'il restera dans l'hôtel de ville ? s'inquiète Alphonse Paillat.

Le cousin d'Honorine s'attire alors cette réponse ironique de Jules Verne :

– Il restera tous les portraits des maires d'Amiens qui seront mieux à leur place que la *Danse espagnole*[1] par exemple, dont la présence ne me paraît pas très justifiée dans la salle d'Administration... Nous devons, me semble-t-il, tout faire pour le public, et je demande à l'Administration de ne pas se montrer trop égoïste en cette affaire, en acceptant d'envoyer au musée tous ces tableaux dont la valeur artistique n'est pas inférieure à ceux qui s'y trouvent déjà.

1. Œuvre du peintre amiénois Charles Porion.

Le débat est fort agité car la plupart des conseillers ont bien du mal à se départir des toiles auxquelles ils se sont habitués depuis si longtemps. Jules Verne remarque avec l'esprit du vieux sage :

– Ou les tableaux de la mairie ne valent rien, et vous ne devez pas y tenir, ou ils valent quelque chose, et il faut les envoyer au musée.

Les mœurs administratives étant ce qu'elles sont, décision est prise... de ne rien décider et de confier l'examen de la question à une commission. Finalement, une partie au moins des œuvres quitteront l'hôtel de ville pour être accrochées au musée.

En novembre, personne n'ose refuser à l'auteur de *Cinq Semaines en ballon* une subvention immédiate destinée au Comité de l'Afrique française. Il lit à ses collègues un document décrivant l'œuvre coloniale de la fondation : « Nous assistons à un spectacle unique dans l'Histoire : le partage réel d'un continent à peine connu par certaines nations civilisées de l'Europe. Dans ce partage, la France a droit à la plus large part, en raison de l'abandon qu'elle a consenti aux autres nations de ses droits sur l'Afrique orientale et des efforts qu'elle a faits pour le développement de ses possessions de l'Algérie-Tunisie, du Sénégal et du Congo. » Cinq cents francs sont consacrés par la ville d'Amiens à l'exploration et à la domination du continent survolé jadis par les héros verniens.

Le dimanche 1er mai 1892, les nouvelles élections municipales voient le triomphe de l'équipe en place : vingt-huit conseillers sortants et sept nouveaux, tous républicains, passent dès le premier tour. Jules Verne obtient 9 176 bulletins sur 15 436 votants, ce qui le place dans une bonne moyenne : quinzième sur trente-cinq élus. Seul le maire, Frédéric Petit, reste sur la touche. Mis en ballottage, il doit se présenter à nouveau devant les électeurs. *Le Progrès de la Somme* s'indigne : « Il suffisait de quelques mécontentements privés, de cabales ourdies en petit comité, pour séparer momentanément de ses collègues, de ses collaborateurs, le chef écouté et vaillant dont on acclamait l'œuvre... »

Au second tour, Frédéric Petit écrase son adversaire, le conservateur Adéodat Lefèvre, par 7 836 voix contre 3 236. Et pour parfaire cette victoire, le 10 juin, Jules Verne accueille à l'académie d'Amiens Émile Ricquier, l'architecte contesté et républicain du Cirque municipal :

– Vous avez déjà une page bien remplie dans le livre illustré de la cité amiénoise. En y rattachant celles que plusieurs de vos confrères y ont si élégamment écrites, cela finira par former un beau volume, avec le bon vouloir des municipalités.

Heureux dans ses rôles de conseiller municipal et d'académicien amiénois, Jules Verne ne cherche plus d'autre honneur. C'est d'ailleurs pour son action à la mairie – et non en tant que littérateur – qu'il est élevé au grade d'officier dans l'ordre de la Légion d'honneur. Et quand Jules Hetzel, à l'occasion d'un fauteuil vacant à l'Académie française, lui suggère de se mettre sur les rangs, il renonce sans combattre : « Entrer à l'Académie entre quarante et cinquante ans, bien ; y entrer quand on va entrer soi-même dans sa soixante-sixième année, ça n'en vaut plus la peine. Jamais je ne consentirai à me donner le mal qu'il faudrait avec si peu de chances de réussir, mon genre, paraît-il, n'étant pas académique. Il y a quelque quinze ans, Dumas fils y avait pensé pour moi. Certaines démarches avaient été faites par lui, puis elles furent abandonnées... Je ne demande qu'à vivre tranquille au fond de ma province, si faire se peut, et à achever ma tâche de romancier, si cela a une fin toutefois. »

Effectivement, sa tâche n'a pas de fin car il est toujours attelé à un nouveau roman. Écrivant *L'Île à hélice,* il sollicite les lumières de son frère Paul. Pour cette aventure d'une île artificielle et ambulante peuplée de richissimes Américains, l'auteur a besoin des indications et des calculs de l'ancien marin. Il lui envoie le manuscrit puis les épreuves et lui demande un travail précis de correction et de contrôle : « Si j'ai des erreurs dans le tirant d'eau de l'île, dans son tonnage, dans sa force en chevaux-vapeur, indique-moi d'autres nombres. »

Paul assure la partie technique, mais Jules se délecte à imaginer sur son île à hélice une vie politique, caricature amusée des débats municipaux d'Amiens. La population de Standard Island se déchire entre « bâbordais » et « tribordais » (la gauche et la droite en termes maritimes) : « Le Conseil des notables, réuni en permanence à l'hôtel de ville, discute et se dispute... La police est forcée de prendre certaines précautions, car la foule s'amasse du matin au soir devant le palais municipal, et fait entendre des cris séditieux. » Et dans le dénouement du roman, Jules Verne se fait le champion de la stabilité politique. La division, en effet, provoque la fin de l'utopie insulaire... Aux élections, aucune majorité ne l'emporte, la solution paraît être alors la séparation : « Couper l'île par son milieu, la diviser en deux tranches égales, comme une galette, dont les deux moitiés navigueront chacune de son côté avec le gouvernement de son choix. » Folie qui entraîne le naufrage.

Les pages de *L'Île à hélice* semblent symboliser le destin de Jules Verne : l'écriture romanesque et les débats municipaux. Ce n'est pas la vie dont il avait rêvé, certes non ! Mais il faut bien s'en contenter. Parfois encore, il songe à ce qu'aurait dû être son existence, l'aventure, la mer, les espaces... À Nantes, Paul a les mêmes regrets. Sa femme ne s'est jamais adaptée à la Bretagne et a fini par partir s'établir seule à Paris, abandonnant son époux à la solitude. Pour les deux frères Verne, le mariage n'a engendré qu'ennuis et tracas : « Toi et moi, nous avons fait une immense et irréparable sottise ; tu sais laquelle, sans que j'aie besoin d'y insister. Déchire ma lettre. Mais quelle vie, sans cette sottise[1]. »

Jeanne, la femme de son fils Michel, vient d'avoir un troisième garçon, Jean. Le petit est malade, il lui faut de l'air pur, aussi la famille vient-elle passer le mois de juin 1892 à Amiens, dans la maison à la tour... Nouvelle occasion pour Suzanne Lefebvre et son mari de s'indigner contre ce couple « adultérin », entraînant dans leur réprobation méprisante quelques

1. Lettre du 14 août 1893.

amis amiénois, prudes bourgeois soucieux de vertu. Avec dignité, Jules Verne laisse dire et brave les commérages : « Nous sommes approuvés par tout esprit libéral et cœur vrai, au diable les imbéciles », écrit-il à Paul. Il fait son devoir de grand-père, mais s'inquiète : que va devenir sa descendance avec un père incapable de subvenir à leurs besoins ? Il sait bien que toute la charge de leur éducation va retomber sur lui... Sa femme, son fils, ses petits-enfants, tous le préoccupent. Il est accablé par les responsabilités. Quant à sa famille de Nantes, il ne la voit plus du tout et ne s'en soucie guère. Il ne songe pas à faire le déplacement pour le mariage de Maxime, le fils de sa sœur Marie : « J'ai trop de soucis et de trop graves pour me mêler à toutes ces joies de famille, moi pour qui la famille – la mienne s'entend – n'aura été qu'une source d'inquiétude et de déceptions [1]. »

Le 14 février 1894, le conseil municipal s'apprête à traiter une affaire d'importance : l'établissement d'une horloge sur la place Gambetta. Un ancien maire, Louis Dewailly, a légué dans ce but vingt-cinq mille francs à la ville. Vingt-cinq mille francs, c'est une somme... À ce prix-là, les Amiénois et les Amiénoises disposeront d'une véritable œuvre d'art ! La Quatrième Commission, chargée de conduire les études préliminaires, soumet son projet à l'approbation du conseil : une colonne de bronze due à Émile

1. Lettre à Paul, 21 août 1894.

Ricquier avec horloge à trois cadrans et statue exécutée par Albert Roze, le jeune directeur de l'école régionale des Beaux-Arts.

Reste à savoir à quel coin de la place Gambetta fixer le monument. Les débats sont vifs. Le centre de l'espace présenterait l'incontestable avantage d'offrir une perspective plus large, le cadran pourrait être aperçu des voies attenantes, la rue des Trois-Cailloux et la rue Delambre. Mais cette solution serait catastrophique sous le rapport de l'esthétique.

– Le monument a été étudié pour être vu de face, explique le maire, puisque M. Roze assoit sa statue sur un des côtés du socle à trois pans servant de base à la colonne, et surtout pour être vu à une certaine distance... Si vous la rapprochez du milieu de la place, le public passant au pied ne la verra que lorsqu'il aura le nez dessus et le monument présentera un effet disgracieux pour les personnes venant de la rue Delambre ou de la rue des Trois-Cailloux. En adoptant ce dernier emplacement, le conseil commettrait, à mon avis, une faute de goût. Il est vrai qu'une faute de goût n'entraîne pas mort d'homme.

Comme le maire, Jules Verne ne veut pas d'une colonne au centre du rond-point. En l'occurrence, il ne se préoccupe pas seulement d'art : un monument à cet endroit empêcherait les tramways électriques de passer. Certes, les transports en commun de ce nouveau type ne sont qu'à l'état de projet, innovation encore âprement combattue par de nombreux élus, mais l'écrivain en est l'un des plus chauds partisans et il ne veut à aucun prix hypothéquer l'avenir en limitant la circulation sur la place.

Malgré quelques contestations, une sage résolution

est adoptée : l'horloge sera érigée sur la partie nord de la place Gambetta. Ce sera une gerbe de ferronnerie à la gloire de l'art et de l'industrie, hérissée d'ornements mêlés dans un style rococo fleuri. Assise au pied de la colonne, la statue d'Albert Roze, une jeune fille aux seins nus, symbolisera le Printemps se dorant au soleil nouveau. La population, caustique et goguenarde, surnommera cette jolie demoiselle dépoitraillée « la Marie sans chemise »[1].

Entre-temps, les fils téléphoniques entre Paris et Amiens sont tirés et la Société industrielle est la première abonnée de la ville. Le 27 mai 1894, Jules Hetzel, qui connaît les habitudes de son auteur et sait

---

1. Les travaux retardés pour des raisons techniques ne s'achevèrent qu'en juillet 1896. En 1940, la place Gambetta fut entièrement saccagée par l'occupant allemand. À la Libération, il ne restait que l'horloge et sa « Marie sans chemise ». Cette dernière trouva un emplacement à l'arrière de la place, mais la colonne, déboulonnée, alla rouiller durant de longues années chez un ferrailleur de la région avant de disparaître, sans doute revendue au poids du métal et fondue. Peu avant l'entrée dans le troisième millénaire, la municipalité a décidé d'élever, dans le centre d'Amiens, une copie de cette « horloge Dewailly ». À un siècle de distance, les mêmes débats sur son emplacement précis ont résonné derrière les vieux murs de l'hôtel de ville.

Sous la coordination de l'architecte François Vasselle, divers corps de métier – horloger, ferronniers, fondeurs et tailleurs de pierre – ont recréé le monument disparu et ont permis à la « Marie sans chemise » de retrouver sa place sous la colonne.

Le 1er janvier 2000, alors maire d'Amiens, j'ai eu l'honneur d'inaugurer cette œuvre nouvelle située désormais à un jet de pierre de la place Gambetta, rue Dusevel. Jadis, l'horloge représentait une avancée technique. Jules Verne peut être satisfait, elle est toujours à la pointe du progrès : reliée par satellite, elle se met à l'heure automatiquement.

exactement à quelle heure il se trouve à la salle de lecture rue de Noyon, lui fait la surprise de l'appeler...

– On demande monsieur Jules Verne au téléphone...

Pour la première fois de sa vie, il se saisit de cet appareil étrange qui semble tout droit sorti d'un de ses romans. Il colle la pastille métallique contre son oreille et crie dans le cornet... Il entend une voix lointaine et nasillarde. Les commentaires sur cette expérience, il préfère les exprimer dans une bonne vieille missive manuscrite : « Quelle surprise vous m'avez faite ! Mais je vous ai à peine distingué... »

Frédéric Petit n'aura pas l'occasion d'utiliser le téléphone et ne verra jamais l'horloge se dresser sur la place Gambetta. Le 14 avril 1895, le maire d'Amiens est subitement emporté par une embolie à l'âge de cinquante-neuf ans. Pour Jules Verne, cette disparition est un réel chagrin. Il envisage même d'abandonner son mandat aux prochaines élections. « C'est une perte irréparable pour la ville et nous sommes en plein gâchis, écrit-il à son frère. Je perds en cet homme de bien et d'une grande valeur un véritable ami, et cela m'a profondément affligé. On lui a fait des obsèques magnifiques, par malheur, civiles. Mais il n'y avait pas possibilité d'agir autrement. »

Le « gâchis » annoncé ne se produit pas. L'adjoint Decaix-Matifas assure l'intérim et le conseil municipal expédie les affaires courantes dans la plus parfaite sérénité. On discute de la réfection du kiosque à musique de la place Montplaisir, de la prolongation des lignes de tramways et de la nomination d'un nouveau directeur pour le théâtre... Le 20 novembre 1895, il est question d'une subvention à accorder aux ouvriers de Carmaux, dans le Tarn. Après une longue grève de près de quatre mois, les verriers soutenus par les coopératives, les syndicats et les groupes socialistes, ont créé une verrerie ouvrière. Le conseiller Omer Caron, contremaître métallurgiste, membre actif de l'Union socialiste d'Amiens, propose à ses collègues d'encourager cette initiative. Mais Jules Verne s'y oppose vertement :

– Voyez ce qui se passe, les ouvriers ont reçu une certaine somme pour l'établissement d'une verrerie, et aussitôt le parti socialiste intervient pour dire : il est bien entendu que s'il y a des bénéfices, ils appartiendront au parti !

Sans plus de discussions, la proposition de Caron est rejetée. Les ouvriers du Tarn devront chercher des subsides ailleurs.

Aux élections municipales de 1896, les conservateurs sont quasiment éliminés de la bataille politique. Deux courants très proches sont en présence : la liste Municipale républicaine, regroupant principalement les conseillers sortants dont Jules Verne, et la liste de Concentration républicaine, située dans la mouvance plus extrême du radicalisme, dirigée par Alphonse Fiquet, député de la première circonscription d'Amiens. Au premier tour, vingt-neuf candidats sont élus, tous appartenant à la liste Municipale. Parmi eux Jules Verne (8 245 voix sur 15 976 votants).

En revanche, au second tour, les sept élus sont issus de la liste de Concentration républicaine. Entre les deux consultations, Fiquet s'est débarrassé de ses acolytes révolutionnaires pour présenter aux électeurs une image plus modérée. Surprise : le député inspire à présent une telle confiance que les conseillers le portent au fauteuil de maire par vingt voix sur trente-six.

Jules Verne, lui, se range nettement parmi les opposants et ne pardonne pas au nouvel élu d'avoir voulu torpiller la liste républicaine, celle fidèle à l'esprit de mesure instauré par Frédéric Petit. Ce maire fraîchement investi l'inquiète et l'exaspère avec ses tendances radicales et ses opinions tranchées.

C'est pourtant sous la direction de cet homme détesté que le conseil municipal prendra la décision de supprimer les tramways tirés par des chevaux et de les remplacer par des engins électriques. Bientôt, on verra se dresser dans la ville des mâts innombrables portant les câbles des trolleybus et ceux du réseau téléphonique, créant un enchevêtrement de 1 415 kilomètres de fils dans le ciel amiénois.

Ce progrès encouragé par le maire n'apaise pas le courroux de l'écrivain. Celui-ci se permet de trousser un petit poème méchant qui fait bien rire ses collègues :

L'horrible citoyen Fiquet
C'est le sectarisme fait homme !
En vérité, voilà ce qu'est
L'horrible citoyen Fiquet !
Non moins roquet que son perroquet,
Vrai type de bête de Somme !
L'horrible citoyen Fiquet
C'est le sectarisme fait homme !

En octobre, Honorine confie au journaliste italien Edmondo de Amicis ses doutes concernant la réélection de son mari dans l'avenir. Comme il s'étonne de ce pessimisme, elle baisse le ton et marmonne :

– La marée démocratique, cher monsieur, ça monte, ça monte partout[1].

Mais les prochaines consultations ne se dérouleront que dans trois ans et demi. En attendant, Jules Verne est bien décidé à mener une guerre sans merci contre l'abominable Fiquet et il guette le premier prétexte pour tenter de le déboulonner.

Pour l'heure présente, l'écrivain a cependant d'autres soucis. Plus immédiats. Un certain Eugène Turpin, chimiste de son état, l'attaque en justice. Inventeur de la « mélinite » – un explosif très puissant –, le savant est un homme amer. Après avoir vendu son brevet au ministère de la Guerre, il a été accusé d'avoir livré ses formules à l'Angleterre et divulgué des secrets touchant à la défense nationale dans une brochure technique. Condamné à cinq ans de prison, puis gracié, il ne cesse d'accuser la France de l'avoir spolié, humilié, brisé.

Comble de malheur pour Turpin, il croit se reconnaître dans le personnage de Thomas Roch, scientifique génial et malfaisant créé par Jules Verne dans son nouveau roman, *Face au drapeau*. Le héros de fiction a mis au point un redoutable explosif, mais son ingrate patrie ne s'intéresse guère à ses travaux. Enlevé par des pirates, il préfère la mort plutôt que de retourner sa découverte contre un navire français...

Turpin en est convaincu : c'est lui ce malfaisant

1. « Una visita a Jules Verne », *Nuova Antologia*, 1er novembre 1896.

hargeux, ce dément aigri ! Son honneur chatouilleux ne supporte pas l'ironie vernienne. Il dépose plainte en diffamation et réclame deux cent cinquante mille francs de dommages et intérêts. Jules Hetzel recrute pour son auteur le meilleur des défenseurs : Raymond Poincaré, le futur président de la République. Persuadé de l'innocence de son client, le brillant avocat plaide le hasard, la coïncidence, la méprise. Avec une parfaite mauvaise foi, Jules Verne déclare n'avoir jamais pensé à l'honorable M. Turpin en écrivant son roman... En fait, dans les lettres envoyées à son éditeur comme dans le courrier adressé à son frère, il n'a jamais caché le nom de son modèle, il a évoqué très librement son intention de créer un « Turpin étonnant ». Mais cela, les juges l'ignorent. Ils ne peuvent pourtant méconnaître totalement les similitudes entre Roch et Turpin et déclarent que, si l'écrivain s'est effectivement inspiré des actes du savant bien réel, il n'a pas eu l'intention de porter atteinte à sa réputation. Débouté, condamné aux frais, Turpin fait appel. Le 7 mars 1897, le tribunal confirme le verdict.

Rentré à Amiens, Jules Verne est contrarié par la laideur des câbles électriques tendus à travers la ville pour la circulation des tramways. Il propose un procédé encore inconnu en France mais utilisé déjà aux États-Unis et en Allemagne : munir les voitures d'accumulateurs qui permettraient la suppression des fils dans les carrefours. Le 14 avril, il explique au conseil municipal :

– Si ces fils peuvent être acceptés dans les rues rectilignes, ils sont beaucoup plus désastreux à voir lorsqu'ils traversent des places... Dans les rues droites, les cars circulent au moyen des trolleys, et lorsqu'ils arrivent à une place ou à un carrefour, l'accumulateur commence à jouer son rôle ; puis, au-delà du carrefour ou de la place, la voiture retrouve le fil aérien auquel elle se raccroche.

La suggestion est mise aux voix, mais elle est repoussée par l'ensemble du conseil. Jules Verne est encore seul à s'inquiéter de l'esthétique de la ville. Il faudra attendre plusieurs années pour que cette notion soit prise en compte.

Au cours de la même séance, possibilité est enfin offerte à Jules Verne de reprendre sa campagne contre « l'horrible citoyen Fiquet ». Les conseillers municipaux sont appelés à se prononcer sur la réorganisation de l'école de médecine. Le programme est ambitieux et coûteux : avec l'achat d'un terrain, la construction d'une loge de concierge, l'établissement d'une salle de cours et de trois laboratoires, la réalisation du projet coûterait cent vingt-deux mille francs à la collectivité amiénoise. Alphonse Fiquet juge cette dépense insupportable et préférerait utiliser une partie de cette somme pour loger l'armée et « amener à Amiens un bataillon qui comprendrait peut-être un millier d'hommes plutôt que de donner satisfaction à cinquante élèves ». Le maire fait l'erreur de mettre le poids de son autorité dans la balance : si le budget pour la rénovation de l'école était voté, il abandonnerait aussitôt ses fonctions !

L'adjoint Joseph Huber vient au secours de la politique de Fiquet et se lance dans une violente attaque contre l'école de médecine, présentée comme onéreuse et inutile :

– Pourquoi établirions nous une école de médecine à Amiens, quand nous en avons à trois heures de distance ? Il y a eu, en moyenne par année de 1887 à 1894, dix élèves et demi pour la première année de doctorat... Vous ne devez pas compter sur un plus grand nombre à l'avenir ; le contraire est plutôt à prévoir. Les élèves feraient-ils de meilleures études à Amiens que dans les facultés de Paris et de Lille, voisines de notre ville ?

Jules Verne prend la parole :

– Tout ce que vient de nous dire M. Huber se trouvait déjà dans un factum que j'ai eu l'honneur de ne pas recevoir et qui m'a paru aussi mal écrit que mal pensé.

– Tout le monde ne s'appelle pas Jules Verne ! rétorque Huber, peu mortifié par les paroles acerbes de son contradicteur.

Dans le but de porter un coup définitif à la réputation républicaine de Fiquet, Jules Verne démontre combien l'école en discussion concerne les classes les moins privilégiées :

– On a représenté les étudiants comme appartenant à une classe privilégiée et étant tous de familles riches ou aisées. Cela n'est pas ; il est incontestable que les jeunes gens qui fréquentent notre école de médecine appartiennent, en général, à des familles peu fortunées qui sont très heureuses de pouvoir, grâce à ces écoles de province, faire entreprendre la carrière médicale à leurs enfants. À ce point de vue donc, on peut dire que l'école de médecine est une œuvre démocratique.

Est-ce ce dernier argument qui l'emporte ? La proposition est adoptée par vingt voix sur trente-quatre présents. L'école de médecine sera rénovée. Fiquet et ses quatre adjoints démissionnent. Parmi eux, Joseph Huber, toujours objet de la hargne de Jules Verne :

– M. Huber, tout le monde le verra partir avec plaisir. Il était désagréable à tous ses collègues, amis ou adversaires, déclare l'écrivain aux reporters des journaux picards.

En découvrant ces propos agressifs dans la presse locale, le démissionnaire est fou de rage. Il se précipite sur son adversaire :

– Vous avez commis une indignité ! Votre opinion à mon égard ne troublera pas mon sommeil, mais en quittant mes fonctions je constate que mes collègues ne partagent pas votre avis !

Ces prises de bec ne font guère évoluer la situation. En ville, les rumeurs vont bon train. On murmure que le conseil municipal va démissionner dans son entier, que de nouvelles élections seront organisées... Mais non. Après quelques hésitations, les conseillers renoncent à déserter leur poste. Il leur faut maintenant désigner un nouveau maire. Deux votes successifs font apparaître une majorité pour Fiquet. On l'implore de revenir sur sa décision. Il accepte de rester membre du conseil municipal mais refuse obstinément de reprendre sa charge :

– C'est, pour moi une affaire d'honneur, déclame-t-il d'une voix vibrante.

Jules Verne est ravi. Il écrit à Jules Hetzel : « Nous avons renversé notre maire, une campagne où j'ai donné de ma personne. Nous verrons ce qu'il en adviendra. En tout cas, ça ne sera jamais pire, et au moins les modérés l'ont emporté. »

Afin d'apaiser les esprits, on trouve une personnalité consensuelle pour occuper la fonction de maire. Paul Tellier a débuté dans la carrière municipale sous la houlette de Frédéric Petit ; devenu adjoint de Fiquet, il a été l'un des quatre démissionnaires qui ont cru devoir suivre leur maire dans sa retraite. Revenu à plus de mesure, il saura être le lien entre les différentes tendances républicaines du conseil municipal. Le 23 avril de cette année 1897, il accepte le mandat que le vote de ses collègues a remis entre ses mains :

– Sur les instances de plusieurs de mes amis, j'ai consenti, par devoir, à assumer une charge évidemment bien lourde pour les moyens et les loisirs dont je puis disposer, et que je n'eusse accepté à aucun prix, si je n'avais écouté que mes convenances personnelles.

XV

VERS L'ÉTERNELLE JEUNESSE

Au début de l'année 1897, le *Magasin d'éducation et de récréation* commence la publication en feuilleton du *Sphinx des glaces,* suite et conclusion vernienne à un roman d'Edgar Poe, *Les Aventures d'Arthur Gordon Pym.* Le cadavre du héros créé par l'auteur américain sera retrouvé, accroché à un immense aimant perdu dans les glaces du pôle Sud... Comme pour chaque épopée maritime, Paul a donné son avis sur le manuscrit, contrôlé l'emploi des termes nautiques et calculé les méridiens. À soixante-huit ans, le plus jeune des frères Verne a quitté Nantes pour rejoindre sa femme à Paris. Il s'occupe encore de placements financiers pour quelques clients et se passionne pour la composition musicale, son dernier grand bonheur.

Son apport technique au *Sphinx des glaces* sera son ultime contribution aux *Voyages extraordinaires.* Le 27 août, il succombe à une maladie de cœur qui le tourmentait depuis longtemps. Si affecté soit-il, Jules ne fait pas le voyage à Paris pour suivre le corbillard. Rhumatismes, indigestions, vertiges en font un malade chronique et les médecins ont diagnostiqué un diabète qui le mine sans doute depuis de longues années. Le moindre déplacement le plonge dans des angoisses terribles, il craint de se retrouver souffrant loin de chez lui. Amiens le rassure. Paul était le seul de sa famille avec qui il était resté en contact et sa dispartion creuse un vide terrible. Mais en écrivant à son neveu Maurice c'est encore de ses propres ennuis de santé qu'il parle, apparemment indifférent à l'accablement du jeune homme dont le père vient de mourir, la mère est seule à Paris et le frère interné dans un asile d'aliénés.

En 1898 – l'année de ses soixante-dix ans –, l'auteur voit défiler chez lui de nombreux journalistes. À chaque fois et avec bonne volonté, il répète les mêmes vieilles histoires. Ses premiers écrits, sa rencontre avec Alexandre Dumas fils, la fulgurance de son succès, l'origine de son *Tour du monde*... Et les reporters feignent la surprise quand le cher homme leur avoue avoir, au fond, très peu voyagé.

– Vous n'avez pas vu les anthropophages ?
– Je m'en serais bien gardé !
– Ni les Chinois ?
– Nullement.
– Vous n'avez pas fait le tour du monde ?
– Pas même le tour du monde...

Adolphe Brisson conclut dans *La Revue illustrée*[1] : « Quand je le suivais naguère dans ses vagabondages autour des soleils et des planètes, ou au centre de la

1. 1er décembre 1898.

Terre, ou dans les champs sous-marins de l'Atlantique, parmi les algues ou les poissons monstrueux, je me représentais l'auteur de ces prodiges sous les apparences d'un géant, doué d'une vigueur et d'une agilité surhumaines... Ce conquistador est un buveur de lait, un rêveur délicat, un philosophe amène, un parfait conseiller municipal. Et l'on prétend que les écrivains se reflètent dans leurs livres ! »

Régulièrement, les échotiers le sacrent génial précurseur, visionnaire inspiré, apôtre de la science qui a tout prévu, tout anticipé. Honorine se fait la plus ardente propagatrice de ce beau mythe :

– Sans doute n'ignorez-vous pas que, dans les romans de mon mari, beaucoup de phénomènes apparemment impossibles se sont réalisés ? insiste-t-elle.

Jules Verne n'est pas dupe et la flatterie ne change rien à la réalité :

– Tut, tut, ce n'est que de la pure coïncidence et cela vient sans aucun doute du fait que, même quand j'invente un phénomène scientifique, j'essaie toujours de rendre les choses aussi vraies et simples que possible[1].

Et le vieil écrivain doit constamment réfuter les mérites que veulent lui attribuer ses visiteurs... Non, il n'a pas inventé le sous-marin, il existait déjà au moment où il écrivait *Vingt Mille Lieues sous les mers.* Non, il n'a pas été à l'origine de l'aérostat, les frères Montgolfier ont effectué leur premier vol presque un

1. *The Strand Magazine,* février 1895.

siècle plus tôt. Non, il n'a pas eu l'idée de l'hélicoptère, un prototype existait dès 1862.

Il renonce bien volontiers à passer pour un prophète des temps modernes, mais il voudrait tant qu'on le considère comme un écrivain. Voilà qui est trop exiger de ses contemporains. Merveilleux vulgarisateur, prince de l'imagination, scientifique aux intuitions lumineuses, oui. La littérature, pourtant, est une tout autre affaire...

Est-ce pour cela qu'au fil des années son énergie se teinte d'une petite touche de pessimisme ?

– Le grand regret de ma vie est que je n'ai jamais compté dans la littérature française, répète-t-il à Robert Sherard, le journaliste américain.

Le roman ?

– Je ne pense pas qu'il y aura encore des romans, en tout cas pas sous la forme de volumes, dans cinquante ou cent ans. Ils seront remplacés par le journal quotidien[1].

Le progrès ?

– Le progrès vers quoi ? Le progrès est un mot qui peut faire l'objet d'un usage abusif. Quand je regarde le progrès des Japonais en matière militaire, je pense à mon roman *Les Cinq Cents Millions de la Bégum,* une moitié de la fortune colossale est allée aux fondateurs d'une communauté vertueuse, l'autre moitié aux partisans d'un génie ténébreux dont l'idéal était celui de l'expansion par la force armée. Les deux communautés se sont développées en fonction des

1. Déclaration à la revue américaine *The Pittsburg Gazette,* 13 juillet 1902.

possibilités de la science moderne... Alors, quelle orientation va prendre notre propre civilisation ?

Jules Verne n'a plus qu'une confiance extrêmement limitée dans le progrès. Il envisage déjà les guerres de l'avenir, les massacres de masse, la technique au service de la mort. Mais il est capable aussi de brusques enthousiasmes. L'automobile ?

– C'est la plus précieuse des inventions parce que sa destinée est de combattre l'un des plus grands dangers de l'avenir – la tendance des populations à déserter les campagnes et à se masser dans les grandes villes... Le moment est proche où le citoyen moyen pourra posséder son auto et, avec elle, il y aura un mouvement de retour à la terre[1].

Jules Verne ne se prononce pas seulement sur l'avenir. Il suit, très concrètement, les soubresauts politiques de la France républicaine. Cette année 1898 est marquée par les troubles et les déchirements nés de l'Affaire Dreyfus. La cause du capitaine juif injustement accusé d'espionnage divise le pays et les familles. Jules Verne, qui refuse de croire que l'armée a sciemment menti pour envoyer au bagne un innocent, se range résolument du côté des antidreyfusards. Michel, lui, est un partisan enflammé de l'officier condamné. Chez les Verne, le débat politique se transforme en conflit des générations. Le père veut

1. Ces deux dernières déclarations dans *Transcript,* Boston, 11 février 1905.

préserver l'honneur de l'armée. Le fils, moins respectueux des institutions, réclame la vérité avant tout.

Avec l'âge, Jules Verne se fait le héraut de l'ordre. Le dimanche 13 février, le Comité constitutionnel réunit dans une salle de la ville les cercles catholiques venus débattre du ralliement des conservateurs à la République. Des contestataires de la gauche extrême interrompent la séance en chantant *L'Internationale*. La police intervient. Violemment. Elle paraît obéir aux ordres des conservateurs qui ont organisé le meeting, elle repousse les perturbateurs et les scènes de bastonnades se poursuivent jusque dans la rue... Trois jours plus tard, le menuisier Henri Férail, conseiller municipal présent sur les lieux de l'échauffourée, réclame une explication du maire :

– Est-ce sur des ordres supérieurs et précis que nos agents de la paix publique marchaient ainsi ?

Paul Tellier répond que le commissaire central relève de l'autorité du parquet et de la préfecture. Il ne peut rien y faire et, à la prochaine réunion, la police agira à nouveau encore selon les ordres donnés par l'autorité compétente...

– Ce sera regrettable, si c'est encore pour arriver au même résultat, soupire le conseiller Alexandre Dutilloy.

– Résultat excellent, tranche Jules Verne.

– Vous trouvez ce résultat excellent ?

– Et je félicite la police pour l'attitude qu'elle a eue, déclare l'écrivain devant ses collègues médusés.

– Et moi, monsieur Verne, je ne vous félicite pas de cette approbation... lance sèchement Dutilloy.

Le maire a bien du mal à imposer le calme :

– Messieurs, il est inutile de laisser s'égarer la réunion...

Tout naturellement, Jules Verne soutient la droite traditionnelle. Au mois de décembre, il saisit l'occasion de manifester sa confiance dans les institutions : il adhère au comité de parrainage de la Ligue de la patrie française présidée par François Coppée. Ce groupement – relativement modéré – s'est formé pour opposer aux intellectuels dreyfusards les convictions d'hommes de lettres et de professeurs. L'auteur du *Tour du monde* rejoint dans son indignation patriotique vingt-trois membres de l'Académie française, plusieurs dizaines de membres de l'Institut, des centaines d'universitaires et près de quarante mille anonymes. Posant pour principe qu'un officier condamné par un tribunal ne saurait être innocent, la Ligue de la patrie française réclame la vérité et la justice, prétend défendre « les pactes fondamentaux de la société humaine » et dénonce le socialisme et le collectivisme. Victime de son idéologie un peu molle par les temps qui courent, concurrencée par des groupements infiniment plus extrémistes, elle ne tardera pas à dépérir et à disparaître.

Avec les dernières années du siècle, Jules Verne effectue ses derniers déplacements hors d'Amiens. En 1898, il est à Paris pour la communion de Michel, l'aîné de ses petits-fils. Fin août 1899, il travaille aux Petites-Dalles, en Normandie, où Michel, son fils, loue à son intention une tour face à la mer. Dans ce refuge solitaire, il écrit avec la même vigueur que par le passé. Cette fois, il a choisi la Canada de la ruée vers l'or pour cadre de ses aventures... Il sait bien que *Le Volcan d'or* risque d'être un roman posthume, il a tant de volumes en avance ! Celui-ci ne paraîtra sans doute que lorsque le XXe siècle sera bien entamé.

L'année 1900 apporte son inévitable élection municipale. Comme ce fut le cas pour la précédente consultation, les conservateurs sont évincés du jeu politique, malgré une liste d'opposition entrée en joute à la dernière minute. Deux groupes républicains s'affrontent, mais les mouvements sociaux modifient un peu la donne : pour la première fois, les syndicats ouvriers demandent à être représentés à la mairie. Ils trouveront leur place sur la liste de Concentration républicaine, désertée cette fois par Alphonse Fiquet qui a sagement rejoint la majorité municipale. Il sera élu dès le premier tour avec vingt-cinq de ses colistiers républicains. Jules Verne, lui, obtient un score supérieur à tout ce qu'il avait connu jusque-là : 9 439 bulletins portant son nom sur 16 653 votes exprimés.

Au second tour, deux syndicalistes se glissent parmi les élus : Lucien Lecointe, président du syndicat des typographes, et Jules Thierry, secrétaire du syndicat de la charcuterie. Petite innovation qui n'empêche pas Paul Tellier de retrouver confortablement son fauteuil de maire.

Jules Verne poursuit son activité au sein du conseil municipal mais ses interventions se font de plus en plus rares. Sa vie semble se racornir et se limiter à quelques horizons immédiats. Même Honorine se replie sur sa famille. Son époux, son fils, ses filles, ses petits-enfants. À soixante-dix ans, elle n'a plus ni l'énergie ni l'envie d'accueillir ses relations amiénoises dans les soirées du mercredi qui ont fait longtemps la réputation de la maison à la tour.

À quoi bon alors rester dans cette grande bâtisse si souvent vide ? En octobre, le couple réintègre l'immeuble de briques, boulevard Longueville, quitté voilà déjà dix-huit ans. Jules retrouve son petit bureau et organise sa pagaille. Un petit obus sert de presse-papier, un bouddha arraché aux temples d'Angkor voisine avec un paysage de Corot accroché au-dessus du petit lit de fer... Avec délectation, l'écrivain trône dans un capharnaüm où s'entassent bibelots exotiques, paperasses, cartes et dictionnaires. Sur la table – nouveauté considérable –, une lampe électrique a remplacé le vieux lumignon à pétrole.

Il écrit, il écrit toujours, mais avec tant de difficulté ! Une cataracte vient affecter son œil droit et se surajoute à ses multiples maux. Il y voit de plus en plus mal, ses lignes se chevauchent, se font hésitantes, peu lisibles, mais il refuse de tracer le mot « fin » sur la dernière page d'un dernier manuscrit.

Le 1er août 1901, Jules Verne et son épouse, suivis d'une poignée de journalistes, doivent se rendre à la gare d'Amiens pour saluer le passage de Gaston Stiegler, envoyé spécial du *Matin,* héros d'un tour du monde réalisé en soixante-trois jours grâce au transsibérien. Record absolu ! L'express arrive, Stiegler, petit bonhomme râblé à la barbiche blonde, descend sur le quai et se jette dans les bras de Jules Verne :

– C'est vous, cher Maître, qui le premier avez

entrevu la possiblité de ce voyage ; c'est vous qui le premier l'avez accompli, et dans quelles circonstances ! Vous avez tracé la voie...

La foule, consciente de l'importance de ce moment historique, crie sa joie :

– Vive Jules Verne ! Vive Stiegler !

Le voyageur dit vouloir repartir pour améliorer encore sa performance, le vieil auteur lui conseille d'emporter ses propres rails car les lignes de Sibérie ont été posées avec des matériaux trop légers qui interdisent les grandes vitesses... Quelques minutes de conversation sous les regards émus de la presse et du public et bientôt le grand voyageur remonte dans son wagon. La locomotive siffle, le train s'éloigne. Après ces amabilités échangées dans les courants d'air d'un quai de gare, Jules Verne n'est pas mécontent de retrouver la quiétude de son bureau.

Le *New York Journal* veut battre *Le Matin* sur son propre terrain et émet l'idée farfelue d'envoyer autour du monde Jules Verne *himself* pulvériser à la fois le record de Phileas Fogg et celui de Gaston Stiegler. L'écrivain s'étonne :

– À mon âge, avec mes infirmités !

– Ce n'est pas de votre vigueur, c'est de votre nom que nous avons besoin. Signez et nous nous chargeons du reste. Vous pouvez fixer votre prix...

– Eh bien ! Donnez-moi des yeux !

Désormais, il veut consacrer toute son énergie à parachever son œuvre. En novembre 1902, lorsque Octave Thorel, directeur de l'Académie d'Amiens, lui demande un petit texte pour la prochaine séance, il répond par cette réflexion désabusée : « Vous me demandez d'écrire quelque chose pour l'Académie. Oubliez-vous qu'à mon âge les mots s'en vont et les idées ne viennent plus ? »

Coquetterie. Car ce vieillard à la barbe blanche ne lâche pas la plume. Malgré les maux qui l'accablent, il invente toujours des personnages et, dans l'obscurité qui l'envahit, parcourt encore le monde. Est-ce parce qu'il craint la cécité absolue qu'il met en scène, dans *Le Secret de Wilhelm Storitz*, un alchimiste détenant le secret de l'invisibilité ? Sa main tordue par les rhumatismes a bien du mal à suivre le fil de sa pensée... Michel vient à son secours, écrit sous sa dictée ou engage des dactylos qui tapent le récit sur ces nouvelles machines aux cliquetis secs que Jules Verne déteste.

Dans ce nouveau roman, l'écrivain invente une ville, Ragz, au bord du Danube. Une agglomération qui ressemble fort à Amiens avec ses boulevards « plantés d'une quadruple rangée de beaux arbres qui font le tour de la ville en suivant la ligne des anciens remparts ». On y découvre même – nostalgie – la maison de la rue Charles-Dubois que les Verne viennent de quitter. Rien n'y manque, pas même l'escalier dans la tour « surmonté d'un belvédère et d'une terrasse circulaire ».

Il ne veut pourtant pas rester reclus dans son cabinet de travail. Il s'en va régulièrement à la Société industrielle, à la Caisse d'épargne dont il a été nommé membre du Conseil des directeurs et, bien sûr, au conseil municipal. Même quand les débats se prolongent tard dans la nuit, il s'efforce de suivre les méandres des délibérations. Le 12 février 1903, on discute à l'hôtel de ville d'une indemnité spéciale à accorder au Théâtre. Quelques conseillers sont un peu dissipés et Jules Thierry, le jeune syndicaliste nouvellement élu, les fait taire :

– Laissez-nous parler ; si vous êtes fatigués, allez vous coucher. Nous n'avons pas peur du travail, nous autres...

Le maire coupe la parole à l'impertinent :

– Qu'y a-t-il ?

– Monsieur Verne pousse des ah ! d'impatience.

– Moi ! proteste l'écrivain, je n'ai fait aucune espèce de geste et n'ai prononcé aucune parole. C'est un peu fort : je vous donne le démenti le plus formel.

Un peu plus tard dans la soirée, Jules Verne semble s'assoupir et le benjamin des conseillers, Lucien Lecointe [1], lance à son tour :

– Si vous avez sommeil, allez vous coucher !

Cette fois, le maire rappelle à l'ordre le bouillant syndicaliste :

– Les discussions iraient beaucoup plus vite sans ces interpellations de collègue à collègue, elles gagneraient en tout cas beaucoup en dignité.

Le rideau retombe. Jules Verne n'interviendra plus dans les débats municipaux, dépassé par la hargne et la pugnacité des jeunes élus. Et puis, « l'horrible » Fiquet, revenu de sa bouderie, a retrouvé son fauteuil de maire [2].

L'écrivain ne se représente pas aux élections de

1. Lucien Lecointe sera maire d'Amiens de 1925 à 1940.

2. Alphonse Fiquet, réélu aux élections de 1904, restera en poste jusqu'en 1908, puis sera encore maire de 1912 à 1916. Âgé alors de soixante-quinze ans, il se retirera de la vie publique.

1904, mais il se trouve une cause nouvelle : l'espéranto. Il est enthousiaste à l'idée de cette langue internationale qui devrait rapprocher les hommes dans un grand élan fraternel. Il accepte la présidence d'honneur du groupe espérantiste d'Amiens et promet d'écrire un roman à la gloire de cet idiome universel. Et puis, comme il dort mal, il passe ses nuits à faire des grilles de mots carrés... pour jouer encore avec le langage.

À la fin de l'année, il est pris d'une crise de diabète : nausées, vertiges, étouffements. On craint pour sa vie. Mais il se remet et les médecins envisagent de l'opérer enfin de la cataracte. À l'idée de retrouver une vue parfaite, il se sent tout ragaillardi. Il a compté : il en est à son centième volume[1] et se déclare prêt à entamer la seconde centaine ! Le 5 mars 1905, peu après son soixante-dix-septième anniversaire, il ne songe encore qu'à son œuvre et écrit à son éditeur pour organiser les parutions des romans achevés : « Si je vous ai envoyé *Le Phare du bout du monde* c'est que dans ma pensée il n'y avait pas lieu à des changements comme dans *L'Invasion de la mer.* Néanmoins, puisque vous préférez *Le Secret de Storitz* je vous l'enverrai... »

Ce sera sa dernière lettre à Jules Hetzel. Le 17 mars,

1. Il faut rappeler ici, une fois encore, que « volume » ne signifie pas « ouvrage ». Mais Jules Verne compta toute sa vie son œuvre en « volumes », suivant les termes du traité qui le liait à son éditeur. Par exemple, *Vingt Mille Lieues sous les mers* représente deux volumes, *Mathias Sandorf* trois volumes. La série des *Voyages extraordinaires* représentera, à la mort de l'auteur, cinquante-cinq romans, auxquels il convient d'ajouter huit autres parus à titre posthume.

une nouvelle crise de diabète le terrasse. Il reste conscient mais la paralysie l'engourdit lentement... Il se sait perdu. Cinq jours plus tard, sa jeune sœur Marie se rend à Amiens :

– Je suis bien content de te voir, tu as bien fait de venir, murmure le mourant.

Bientôt, il ne peut plus parler : « Ce n'était plus notre frère, ce n'était plus sa belle intelligence ; il ne restait plus qu'un corps et qu'une âme qui s'en allait... », écrit Marie à sa famille restée à Nantes.

Sans avoir repris conscience, Jules Verne s'éteint le vendredi 24 mars 1905 à 3 h 10 de l'après-midi. *Vers l'immortalité et l'éternelle jeunesse*... Par ces mots, Michel désignera le monument du sculpteur Albert Roze élevé sur la tombe du cimetière de La Madeleine. On y verra le trépassé soulevant la pierre de son sépulcre pour s'envoler vers l'éternité des écrivains.

Le fils, âgé maintenant de quarante-quatre ans, fait le tri dans les documents laissés par son père. Hetzel possède déjà deux romans achevés et encore inédits : *Le Phare du bout du monde* et *Le Secret de Wilhelm Storitz*. Dans les tiroirs, boulevard Longueville, Michel trouve encore deux romans apparemment prêts à la publication : *Le Volcan d'or* et *La Chasse au météore*. Il met aussi la main sur plusieurs dossiers où sont ébauchées les trames de quelques livres à venir.

Michel n'a aucunement l'intention de laisser dépérir un tel patrimoine. Honorine, qui survivra cinq ans à son époux, laisse agir son fils. D'abord, avec l'aide de l'avocat Raymond Poincaré – qui a défendu le père dans l'affaire Turpin –, l'héritier attaque les clauses du contrat et obtient de meilleures conditions financières. Ensuite, nommé par testament seul propriétaire des manuscrits, il se refuse à livrer aux lecteurs des œuvres qui, selon lui, n'ont point trouvé leur forme définitive. Il veut surtout rendre les derniers romans signés Jules Verne plus vifs, plus modernes, plus commerciaux.

Michel, doué d'un talent littéraire certain, sacrifie une éventuelle carrière romanesque pour prêter la plume en catimini aux ultimes *Voyages extraordinaires.* Auteur de l'ombre, il ne pourra plus écrire sous son propre nom, sauf à dévoiler ses réelles capacités et à jeter la suspicion sur tous les titres posthumes du grand auteur. Sans cesse à court d'argent, il préfère des droits immédiats et assurés à une gloire future et hypothétique.

Le Volcan d'or est révisé par Michel qui ajoute quatre chapitres, invente des personnages et modifie la fin pessimiste imaginée par l'auteur. Dans cette version remaniée, les héros se marient et s'enrichissent, alors qu'ils demeuraient pauvres et solitaires dans le manuscrit original.

Pour *La Chasse au météore,* l'histoire d'un corps céleste constitué d'or précipité sur la Terre, Michel apporte de telles modifications que Jules Hetzel en fait la liste dans une note interne : quatre chapitres sont ajoutés, un personnage de savant distrait et un astronome supplémentaire apparaissent, une jeune fille participe au voyage au Groenland, des passages sont supprimés, etc. Mais quand le roman paraît, personne n'émet le moindre doute. Michel en fait le fier constat dans une lettre à l'éditeur : « Non seulement aucune critique n'a été faite par personne touchant l'authenticité de ces œuvres posthumes, mais encore au moins un article très élogieux a été écrit sur *La Chasse au météore,* article dont l'auteur, M. Mario Turiello[1], qui s'est fait un spécialiste de l'étude des œuvres de mon père, loue précisément une partie du roman dont n'existe aucune trace, fût-ce à l'état d'ébauche, dans le manuscrit autographe. »

Dans la foulée, il fait publier aussi sous le nom de Jules Verne *L'Agence Thompson and C°,* roman, on l'a vu, écrit par Michel du vivant de son père.

Sûr de lui, l'héritier commet en 1908 une maladresse qui aurait pu mettre fin aux fructueuses publications posthumes. Dans *Le Pilote du Danube* – intitulé *Le Beau Danube jaune* dans la version Jules Verne – un policier hongrois pourchasse des criminels... Comme à son habitude, Michel remanie le texte, ajoute trois chapitres, étaye les personnages. Il met en scène un certain Jackel Semo, brigand exerçant sa coupable activité dans les voisinages du fleuve. Or, un vrai Jackel Semo existe. Michel Verne l'a rencontré à Belgrade lors d'un voyages d'affaires... Industriel de bonne réputation, l'authentique Semo est indigné du rôle odieux qu'on lui fait jouer dans le roman. En décembre 1909, l'avocat René Cassin – futur rédacteur de la Déclaration universelle des droits de l'homme et prix Nobel de la Paix – adresse à l'éditeur une missive comminatoire : il demande réparation du préjudice subi par son client « communément désigné et représenté comme un bandit ». Et la lettre se ter-

1. Mario Turiello, professeur à l'Université de Naples, avait été en correspondance avec Jules Verne dès 1894.

mine sur ces mots lourds de menaces : « L'ouvrage paraît ainsi être l'œuvre du fils qui a connu personnellement M. Jackel Semo et non celle de Jules Verne. »

Le subterfuge va-t-il être éventé ? Aussitôt, l'éditeur retire de la vente tous les exemplaires encore disponibles du *Pilote du Danube,* les envoie au pilon et fait réimprimer des ouvrages où Jackel Semo est remplacé par Yacoub Ogul, nom imaginaire qui offre l'avantage de comporter le même nombres de lettres que le patronyme incriminé.

Devant les juges, Michel Verne est encore une fois défendu par l'illustre Raymond Poincaré. L'affaire traînera jusqu'en janvier 1912, date à laquelle le tribunal civil de la Seine, persuadé par l'éloquence du tribun, rejettera les demandes du dénommé Semo et le condamnera aux dépens.

L'alerte a été chaude pour Jules Hetzel et Michel Verne. Mais les tripatouillages se sont allègrement poursuivis durant tout le temps de la procédure.

Dans *Les Naufragés du Jonathan,* les allusions politiques sur les dangers du collectivisme et du communisme « tyrannique » sont supprimées. Même pour *Le Secret de Wilhelm Storitz,* Michel impose sa patte. Car l'éditeur exige que le cadre de l'anecdote soit déplacé du XIXe siècle au XVIIIe. Michel obéit mais ne comprend pas. « Je n'ai jamais vu et je ne vois pas encore grand intérêt à cela », avoue-t-il à Hetzel. Il précise le 28 juillet 1909 : « J'emporte *Storitz* et j'espère bien y travailler sérieusement. Ma copiste est ou va être en congé, mais elle reprendra son travail le 15 septembre. La besogne à accomplir n'étant pas, heureusement, des plus longues cette fois, je compte fermement vous donner dès le 1er octobre, une bonne partie du roman. »

L'année suivante, le fils réclame de la documentation sur l'Afrique pour rédiger ce qui sera le dernier ouvrage de « Jules Verne » : *L'Étonnante Aventure de la mission Barsac.* Mais, échaudé, il précise que les relations de voyages ne doivent pas être postérieures à 1905... « Des ouvrages plus récents pourraient me suggérer des corrections regrettables. »

Cette aventure africaine devait, selon Jules Verne, s'intituler *Voyage d'études.* Le fils s'inspire des notes laissées par son père mais transforme considérablement le projet initial et supprime toutes les allusions à l'espéranto, dernier combat du vieil auteur. Entièrement écrite et très largement imaginée par Michel, *L'Étonnante Aventure de la mission Barsac* est livrée en feuilleton dans *Le Matin,* d'avril à juillet 1914. La Grande Guerre éclate quelques jours après la publication du dernier épisode et le volume ne paraîtra que cinq ans plus tard chez Hachette qui, entretemps, a racheté le fonds Hetzel. Ce texte met un point final aux *Voyages extraordinaires* et à la carrière littéraire clandestine de Michel Verne... Il ne serait pas crédible de poursuivre plus longtemps la publication d'œuvres posthumes signées par un écrivain disparu depuis quinze ans.

Le fils, séduit par le Septième Art encore balbutiant, se consacre ensuite, avec plus ou moins de bonheur, à la production cinématographique, adaptant quelques romans du père en images muettes et sautillantes[1]. Il meurt en 1925, sans avoir jamais repris la plume.

Alors peut naître la légende. Dans la première moitié du siècle, tout écrivain aimé de la jeunesse doit obligatoirement apparaître comme un idéal de perfection et de vertu, bon citoyen, bon époux, bon patriote.

On l'a vu, le premier instigateur de ce mythe fut, étrangement, le propre père du romancier. Dès la fin des années 1840, Pierre Verne corrigeait soigneusement le style et la pensée des lettres qu'il recevait de son fils, alors jeune étudiant en droit parfaitement inconnu. Étonnante prescience... L'auteur lui-même n'hésita pas à détruire, peu avant sa mort, un grand nombre de documents qui auraient sans doute permis de mieux cerner l'homme dans sa globalité et sa réalité.

Mais la grande prêtresse de ce culte rendu à « saint Jules » reste Marguerite Allotte de la Fuye, une vague parente, qui publie en 1928 une pieuse biographie de son cousin... à la mode de Bretagne. Pour mieux convaincre ses lecteurs, elle n'hésite pas à tronquer et à truquer certaines lettres. Ainsi Jules Verne peut éclore dans toute sa pureté : fidèle catholique, fils respectueux, parfait citoyen. Quelques années plus tard, en 1933, la dame réitère dans la manipulation pudibonde. Elle fait paraître dans les colonnes de *L'Écho*

1. Il réalisera *La Destinée de Jean Morénas* en 1916, *Les Indes noires* en 1917, *L'Étoile du Sud* en 1918 et *Les Cinq Cents Millions de la Bégum* en 1919.

de la Loire une trentaine de missives signées Jules Verne, mais chastement censurées.

Il faudra attendre les années quatre-vingt pour que soient enfin disponibles des éditions non expurgées de ces messages intimes. En même temps, d'autres lettres et des manuscrits inédits sont découverts et livrés au public. Sans doute trouvera-t-on à l'avenir de nouveaux matériaux car, à l'évidence, des trous béants demeurent dans la correspondance. Par exemple, peu ou pas de lettres écrites à ses parents de 1862 à 1866 nous sont parvenues, aucun courrier à sa mère ne subsiste après 1871, la correspondance connue avec son frère ne remonte pas avant 1893... Le ménage a-t-il été fait ? Il faut dire qu'à la lecture des lignes sauvées de l'oubli, on peut comprendre la frayeur des moralistes : l'auteur s'y présente parfois comme scatologique, hypocondriaque, misanthrope, iconoclaste.

Un nouveau Jules Verne peut se révéler, un être pétri de contradictions, plus proche de nous dans ses errements, ses désespérances et ses faiblesses que l'impeccable statue du commandeur que certains ont voulu lui dresser.

Ses écrits sont alors livrés à une cohorte d'exégètes fouillant romans, poèmes et courrier pour en dévoiler les mystères de l'inconscient et du non-dit. Il est vrai que l'écrivain se prête particulièrement à cette psychanalyse appliquée aux textes littéraires, avec ses maladies psychosomatiques, ses rapports difficiles au père et au fils, ses calembours, ses clés plus ou moins volontaires.

En définitive, ne trouve-t-on pas dans ses amusants clins d'œil et ses mystérieux jeux de mots les ultimes tours de passe-passe du cher vieux bonhomme ? Le dernier masque dont il s'est affublé pour s'esquiver encore et échapper dans sa vérité au monde des savants fous qui lui faisait si peur et dont il avait annoncé le règne ?

REPÈRES BIBLIOGRAPHIQUES

La présente biographie n'aurait pas été possible sans les études historiques et littéraires menées depuis une trentaine d'années par des érudits passionnés. Ces travaux ont permis une meilleure approche de la personnalité de l'auteur, notamment par la mise au jour et la publication de lettres et de manuscrits longtemps inédits. Il faut citer, en particulier, Piero Gondolo della Riva qui, depuis si longtemps, traque et interroge les documents. Mais aussi Daniel Compère, Jean-Paul Dekiss, Olivier Dumas, Charles-Noël Martin. Sans oublier toutes les recherches menées dans le cadre du Centre de documentation Jules Verne d'Amiens. Notre dette – comme celle de tous les amoureux de l'œuvre vernienne – est immense.

En ce qui concerne les activités municipales de Jules Verne à Amiens, la source principale reste, bien évidemment, les comptes rendus méthodiques des séances du conseil publiés dans le *Bulletin municipal* de 1897 à 1904.

Par ailleurs, la presse locale du temps *(Courrier picard, Journal de la Somme, Journal d'Amiens)* permet d'appréhender l'ambiance politique au tournant du siècle. À ce propos, que l'on nous permette de remercier Daniel Deparis, ancien responsable des archives municipales d'Amiens, qui a su retrouver et réunir cette indispensable documentation.

Sur Jules Verne et son œuvre

Centre de documentation Jules Verne (ouvrage collectif), *Visions nouvelles sur Jules Verne,* Amiens, 1978.

CHESNEAUX Jean, *Une lecture politique de Jules Verne,* Librairie François Maspero, 1971.

CLARETIE Jules, *Figures contemporaines,* 1875.

COMPÈRE Daniel, *La Vie amiénoise de Jules Verne,* Centre de recherche et de documentation pédagogique, Amiens, 1985. Et *Jules Verne, parcours d'une œuvre,* Encrage, Amiens, 1996.

COMPÈRE Daniel et MARGOT Jean-Michel, *Entretiens avec Jules Verne 1873-1905,* Éd. Slatkine, Genève, 1998.

DEKISS Jean-Paul, *Jules Verne, le rêve du progrès,* « Découvertes », Gallimard, 1991.

DUMAS Olivier, *Jules Verne, avec la correspondance inédite de Jules Verne avec sa famille,* La Manufacture, Lyon, 1988.

GONDOLO DELLA RIVA Piero, *À propos des œuvres posthumes de Jules Verne,* in « Europe », novembre-décembre 1978.

JULES-VERNE Jean, *Jules Verne,* Éd. Hachette, 1973.

LOTTMAN Herbert, *Jules Verne,* Éd. Flammarion, 1996.

MARTIN Charles-Noël, *La Vie et l'œuvre de Jules Verne,* Michel de l'Ormeraie éditeur, 1978.
SORIANO Marc, *Jules Verne (le cas Verne),* Éd. Julliard, 1978.
TOUTTAIN Pierre-André (cahier dirigé par), *Jules Verne,* L'Herne, 1974.

Bulletins de la Société Jules Verne

CARRÉ Adrien, *Jules Verne et les princes d'Orléans,* n° 53, 1980.
MARTIN Charles-Noël, *Les Amours de jeunesse de Jules Verne,* nos 28, 1973 et 29-30, 1974.
POURVOYEUR Robert, *Le Théâtre Lyrique au temps de Jules Verne,* nos 31-32, 1974.
TERRASSE Pierre, *George Sand et Vingt Mille Lieues sous les mers,* n° 22, 1972.

Textes de Jules Verne particulièrement consultés

Cinq Semaines en ballon (introduction de Simone Vierne), Garnier-Flammarion, 1979.
Discours d'inauguration du cirque municipal d'Amiens, plusieurs fois publié, a fait l'objet d'une plaquette présentée et annotée par Claude Lepagnez, Centre de documentation Jules Verne, Amiens, 1989.
Paris au XXe siècle (préface de Piero Gondolo della Riva), Éd. Hachette-Le Cherche Midi, 1994.

Poésies inédites (édition établie par Christian Robin), Le Cherche Midi éditeur, 1989.

Une ville flottante (mini-dossier établi par Bernard Lehembre), Éd. Nathan, 1984.

Une ville idéale, publiée pour la première fois en 1875 à Amiens puis rééditée à plusieurs reprises (parfois sous le titre *Amiens en l'an 2000).* La dernière édition, illustrée, a été dirigée par Jean-Paul Dekiss pour le Centre de documentation Jules Verne, Amiens, 1999.

Voyage à reculons en Angleterre et en Écosse, Le Cherche Midi éditeur, 1989.

Sur le temps, les lieux et les personnalités

BELTRAN Alain et GRISET Pascal, *Histoire des techniques aux XIXe et XXe siècles,* Éd. Armand Colin, 1990.

BOIS Paul, *Histoire de Nantes,* Éd. Privat, 1977.

BREDIN Jean-Denis, *L'Affaire,* Éd. Julliard, 1983.

CALONNE Albéric de, *Histoire de la ville d'Amiens,* Piteux Frères, Amiens, 1906.

COURTINE Robert, *La Vie parisienne, cafés et restaurants des boulevards,* Librairie Académique Perrin, 1984.

DEMING Mark, *Le Narghilé d'Amiens, le cirque municipal,* in « Le Nouvel Amiens », Éd. Mardaga, Liège, 1989.

GREAVES Roger, *Nadar,* Éd. Flammarion, 1980.

HUBSCHER Ronald (sous la direction de), *Histoire d'Amiens,* Éd. Privat, 1986.

LOLLIÉE Frédéric, *Nos gens de lettres,* Éd. Calmann-Lévy, 1887.

MAUROIS André, *Les Trois Dumas,* Librairie Hachette, 1957.

PARMÉNIE A. et BONNIER DE LA CHAPELLE C., *Histoire d'un éditeur et de ses auteurs, P.-J. Hetzel,* Éd. Albin Michel, 1953.

ROBIN Christian (ouvrage collectif réuni par), *Un éditeur et son siècle, Pierre-Jules Hetzel,* ACL Édition, Saint-Sébastien, 1988.

ROTH François, *La Guerre de 70,* Éd. Fayard, 1990.

SPRÉCHER A., *La Carrière laborieuse et féconde du sculpteur Albert Roze,* in « Courrier picard », 11 et 14 décembre 1948.

Nous tenons à remercier particulièrement Piero Gondolo della Riva pour la relecture attentive qu'il a faite de ce livre.

TABLE DES MATIÈRES

Directrice littéraire
Huguette Maure
assistée de
Maggy Noël

Composition PCA
44400 – Rezé

Impression réalisée sur CAMERON par

BRODARD & TAUPIN
GROUPE CPI
La Flèche

pour le compte des Éditions Michel Lafon
en février 2005

Imprimé en France
Dépôt légal : mars 2005
N° d'impression : 28042
ISBN : 2-7499-0246-0
LAF : 693